新潮文庫

ふがいない僕は空を見た

窪 美 澄 著

目次

ふがいない僕は空を見た

ミクマリ

たとえば、高校のクラスメートのように、学校や予備校帰りに、どちらかの自宅や県道沿いのモーテル、もしくは屋外の人目のつかない場所などにしけこみ、欲望の赴《おもむ》くまま、セックスの二、三発もきめ、腰まわりにだるさを残したまま、それぞれの自宅に帰り、何食わぬ顔でニュースを見ながら家族とともに夕食を食べる、なんていうのが、このあたりに住むうすらぼんやりしたガキの典型的で健康的なセックスライフとするならば、おれはある時点で、その道を大きく外れてしまったような気がする。

終業式を終えたおれは一学期の通知表をカバンにいれたまま、自宅を通り越して橋を渡り、河原沿いに建つマンションのエレベーターに乗り込んだ。最上階で下りて、あたりを見回し、廊下のいちばん奥にある部屋に向かって歩いて行く。鍵《かぎ》がかかっていないドアをできるだけ小さく開けてすり抜けるようにして部屋に入り、玄関わきにある小さな部屋のドアを開ける。

遮光カーテンの閉まった部屋の暗さに目が慣れるまでに時間がかかるが、どんなに小さくても音だけはよく聞こえる。おれは友だちの携帯のバイブ音にいちはやく気がつくほど耳がいいのだ。セミダブルのベッドの上に、「なにかのアニメのなんとかという役」のコスプレをしたあんずが横たわっている。あんず、というのは仮の名前でおれは本当の名前を知らない。セーラー服をベースにデザインしたと思われるその衣装は驚くほどスカートが短い。スカートからはみ出た丸太のような太もも。そして、猫耳がついたキンパツのウイッグが驚くほど似合わないあんず。

おれが近づくと、あんずは薄く目を開け、ハンガーにかかった衣装を無言で指さす。おれは制服を床に脱ぎ捨て、するするとした手触りの布でできた「なにかのアニメのなんとかという役」の白衣のような衣装を身につける。青いロングヘアのウイッグをつけ、さらに小さな眼鏡をかけて、ベッドの横に立つ。電動歯ブラシのような振動音が聞こえてくる。ミニスカートをめくると、小さな下着の中からピンク色のコードが伸びている。下着を右の足首までずらし、両ひざをたてる。

あんずがごきゅっ、と大量につばを飲み込むへんな音がした。あんずの中心から伸びたコードをゆっくり引っ張ると、液体があふれてシーツに大きなしみをつくった。おれは「なにかのアニメのなんとかという役」になりきって、「いい子で待ってたんだね」という気持ちの悪いセリフを口にする。それもあんずとの約束なのだ。あんずが体をびくっとさせ、背中がシーツからわずかに浮き上がる。

あんずはおれとセックスをする前に必ず台本を書く。おれはあんずが書いた台本どおりに動き、セリフをしゃべり、セックスする。

おれはあんずのひとさし指と中指を自分の口のなかに入れ、できるだけいやらしくねちっこく、わざと大きな音をたててなめる。これもあんずの台本どおり。

「うっ」という腹にけりを入れられたような色っぽくない声があんずの口から漏れる。指をなめ続けながら、あんずの中からひきずり出したローターをクリトリスにあて、あんずの指を自分の口の中でスライドさせた。あんずはすぐに「いってしまいますぅ」と妙に耳障《みみざわ》りな甲高い声であえぎ出した。「まだだめだ」おれは台本どおりに怒った口調で言う。

あんずの足をM字に開き、顔をぎりぎりまで近づける。透明な液をあふれさせて、ぬらぬらと輝いているあんずの中心に中指を一本差し込む。すくいあげた液体をクリトリスに塗りつけてから、再びローターをぐるぐると回すように押しつける。

「ぁあああああああ、むらまささま、もうだめですぅ、いきますぅ」と言いながらあんずはベッドの上で体を弓なりにそらし、下腹部の脂肪をこきざみにふるわせ、しばらくの間動かなくなった。むらまささまって多分、おれが今しているこのコスプレの人のこと。おれは、そもそもあんずが夢中になっているそのアニメのこと何ひとつ知らないんだけど。「悪い子だな」と言いながら、おれはあんずの髪をなでる。

あんずは荒い息を整えてベッドから起きあがり、おれのズボンのチャックをおろした。この部屋に入ったときからかたくなりはじめていたちんこを口に入れ、だ液をまとわりつかせると、体勢をすばやく変えて、おれの上にまたがった。部屋の中が暑くて眼鏡が曇る。おれはベッドの上にあおむけに寝たままで、あんずだけが動く。おれは腕を伸ばしてセーラー服の上からあんずの乳頭をつまむ。ん、ん、とリズミカルに声をあげながら、あんずが動くたびに、あんずからあふれた温かい液体がおれの陰毛にまとわりつく。あんずの二段になった腹と、ちょっとずれたウイッグが視界に入って、気持ちがなえそうになる。かたく目を閉じて、温かく濡《ぬ》れているあんずの中心の感触だけを感じるようにする。

「出ちゃう」

おれが思わず言うと、あんずが身をかがめておれの耳元で「いっぱい出していいよ」とほんとうに小さな声で言った。それは、「なにかのアニメのなんとかという役」の女ではなく、あんずの素の声で、おれはそれを聞いたとたん、がまんできなくなって、あんずの中で激しく射精した。

あんずにナンパされたのは、高校に入ってすぐ、友だちに無理矢理連れて行かれたコミケで。おれが、「なにかのアニメのなんとかという役」にそっくりだからって、声をかけられ、写真を撮られ、なかば強引にメアドを聞き出された。驚いたことに、あんずはおれと同じ市内の、おれの家の前を流れる川をはさんで真向かいのマンションに住んでいた。もっと驚いたのは、同じくらいのトシかと思っていたのに、あんずはおれよりも十二歳も年上で、さらに結婚しているってことだった。よくよく考えると、おれのやっていることはつまり不倫ってことだ。

おれはアニメもテレビも見ないから、あんずの言っていることはほとんど意味がわからない。この部屋にいるときは、素のおれでいることは許されず、あんずが用意したたくさんのコスプレ衣装をとっかえひっかえ着せられる。白塗りのメイクも。ときにはカラーコンタクトも。完全装備したおれを、あんずはいつもうるんだような目で見て、デジカメでたくさんの写真を撮った。

この部屋に来た最初の日、まさかね、となかば強引に押し倒したら、あんずはあっさりやらせてくれた。ただし、あんず好みのコスプレ着用、という条件で。その日以来、学校が終わると週に一、二日はこの部屋に来て、言葉をかわすこともなく、おれとあんずはやりまくった。

おれは初めてだったから、セックスにはいろんなポーズがあることや、道具も使うってことを、あんずからぜんぶ教わった。毎回じゃないけれど、セックスが終わると、「ごめんね」って言いながら、あんずは金をくれた。おれはその小さく折りたたまれた一万円札の意味がよくわかんなかったけど、別に罪の意識なんかなかった。親戚《しんせき》のおばちゃんがくれるおこづかいみたいなもんだと思ってた。でもおれのバカな頭でしばらく考えてみてある日突然わかった。あんずのやっていることはおれを金で買ってるってこと。

ベッドに寝ころびながら、煙草《たばこ》を吸っていると、マンションの廊下を小学生くらいのガキが走る声が聞こえた。おれ何してんだろ、と思いながらも、隣に寝ているあんずのあそこを片手でずっとまさぐっていた。さらさらしていたあそこの粘度が増してくる。あんずがすぐに小さな声をあげ始める。あんずの手がおれのちんこをにぎる。生まれて初めてのセックスをあんずとしたときから、おれはコンドームをつけていない。「妊娠できないから」ってあんずは言っているけど。聞いてはいけないような気がしていたのに、おれは今日、思わず聞いてしまった。

「子ども生まないの？」

あんずの体からすっと熱が引いたようになって、急におれから体を離し、ベッドから起きあがった。

「あなたに関係ない」あんずは素の口調で言いながら、部屋を出て行ってしまった。あんずがいつまでたっても部屋に戻ってこなかったので、おれはちんこの先にへばりついたティッシュを指でつまんでゴミ箱に捨て、白衣を脱いで再び制服に着替えた。

「頭の中に浮かんだことをそのままべらべら口にするんじゃない」とおふくろに何度も叱《しか》られたことを思い出した。それにおれは今日、あんずに話すことがあったのだ。でも、やってしまった。次でいいか、とぼんやりした頭で思いながら、玄関で靴を履いた。


あんずのマンションを出て橋を渡る。でっかい夕陽が山の向こうに沈むのを見ながら、わざと体の力を抜いてぷらぷら歩く。橋の下を見ると、ブルーシートとベニヤ板でできた家から、黄色いTシャツに緑色のジャージのズボンをはいたおじさんが出てきて、おしっこをしているのが見えた。

家に帰るなり女のでかいあえぎ声が聞こえた。おれのおふくろは助産師で、自宅でお産の介助をしている。つまり、おれの家は助産院でもあるわけだ。たいして防音設備が整ってない普通の民家だから、産婦さんの苦しむ声はこの家のどこにいても聞こえる。ちんこを入れたときも、その結果としてできた子どもを出すときも、同じ声っていうのが不思議。お産の、って言われなきゃ、まんまＡＶの声だもの。そんな声を聞きながら、おれはこの家で大きくなった。

台所のテーブルの上にあった大根の煮物をつまんでいると、おふくろがバタバタと入って来た。「あんた、ちょっと今ひま?」と言いながら、返事も聞かずにおれを奥にある和室に連れて行く。お産に立ち会うはずだっただんなさんが仕事の都合で遅れているらしく、おれにだんなさんの代わりに産婦さんの腰をさすれ、というわけだ。「仙骨だからね、仙骨」と言いながら、おふくろがおれに指図する。「わーってるから」おれはぜんぶ、ぜんぶ知ってるから」と言いながら、尾てい骨の上にある平たい骨に手のひらをぴったり密着させるようにして、やさしくさすってあげる。

「ごめんね、ほかの助産師さんが夏休みでこんなバカ息子しか今日いなくて」とおふくろが言うと、若い産婦さんが陣痛でしかめた顔をゆるませて、「ううん先生、息子さんすごく上手だよ」とおれを見て笑った。笑顔がかわいい人で、見つめられると胸がきゅっと締めつけられるような気がした。「ほれみろ」と言うと、おふくろも素直にうれしそうに笑った。

おふくろといっしょに働いている助産師さんが休みでいないときや、産婦さんに立ち会う人が誰もいないときは、おれもお産にかりだされることがある。もちろん、産婦さんが許可を出したときだけだけど。確かにおれもおふくろの血をひいているのか、苦しんでいる産婦さんを見ると、なんとかしてあげなくちゃと血がたぎるのだ。おれのスペシャルなマッサージのおかげで、かわいい産婦さんのお産はまたたく間にするすると進み、この世にまたひとり人間が増えた。

夏休みはクラスメートの福田とともに、市営プールの監視員のバイトをする。

朝、玄関の前にしゃがんでガリガリ君を食べて待っていると、福田が迎えに来てくれた。おれの自転車が壊れているので、福田の自転車のうしろに乗っかっていく。

「松永もチケット売り場のバイトに来るってよ、うれしいだろ」

福田が前を向いて立ちこぎしながら、でかい声で言う。おれはクラスでいちばん仲のいい福田にもあんずのことは話していない。松永はD組の女で、おれが高校に入ったときから好きな女。だけど、あんずとのセックスに夢中になるうちに、まぁそれは横においといてと、保留状態になっていたわけだが、突然、期末試験のあとに松永のほうから告白されたのだ。松永に「少し待ってて」ととっさに言ったのは、あんずとのことがあったからで。二人の女と同時につきあうっていう道を選ばなかったおれのなかにまだ残っている健全さ、のようなものに驚いたりもした。

駐輪場で自転車をとめる福田を待っていると、ふいにうしろから腕をつかまれた。おれよりもかなり背の小さい松永が、おれの顔を見上げてにやっと笑い、すぐに腕を離して、プールの入り口のほうに子どもみたいにバタバタ駆けて行った。白い前歯が少しだけ長くて、笑った顔がどんぐりを抱えたりすみたいだなと思った。

家に帰ると、おれの部屋の机の上にコンドームの箱が三つ置いてあった。階段をだだだだだっと駆け下りて、和室の座卓に向かっていたおふくろに「なんだよこれ」と言うと、「使いなよ」と書類から顔も上げずに言った。

「自分の親にコンドーム用意してもらう息子がどこにいるんだよっ」と大きな声を出すと、「いらないなら返して」と、おれの秘密をつかんだときに見せるにやにや顔で手のひらを差し出した。うっと言葉につまっていると、「妊娠だけじゃない。しないとペニスがカリフラワーみたいになっちゃうこともあるんだよ！」と大きな声を出した。おふくろが「ペニス」という単語を口にするのを聞くと昔から力が抜ける。こんな勢いのときのおふくろに何を言っても無駄なので、おれはコンドームの箱を手に持ったまま黙って襖《ふすま》を閉めた。「まだ、ばーさんにはなりたくないから！」と襖の向こうからおふくろがどなった。

夕方、松永からメールが来て、早めの夕食を食べたあとに河原に出かけた。家を出たあとに思い返して自分の部屋に戻り、後ろポケットにコンドームを二個つっこんだ。もう陽はすっかり暮れかかっていた。のんびりと犬を散歩させる老夫婦や、あわてて家に帰る小学生を追い越して、おれは待ちあわせ場所に走っていった。

サイクリングロード沿いにある自動販売機の明かりに照らされて、松永がぽつんと立っていた。その小ささを見ただけで、なんだか泣きたい気持ちになった。松永が乗って来た自転車を押しながら、二人で話をしながら歩いた。夏休みは始まったばかりで、自転車を押しながら、彼女と、土手の上を歩く、というシチュエーションにおれは満足していた。ここを通らなくちゃ先に進めない、という気持ちになった。先ってどこの先、って自分にすぐにつっこみを入れたけど。

「斉藤くん、つきあってる人いるんだよね」と松永がおれを見上げて言った。余計なことは言わないに限ると瞬時に判断したおれは黙ったままうなずいて、しばらくしてから「その人とのことちゃんとしてから松永とつきあいたいから」とだけ言っておいた。松永も何も言わずにうなずいた。

　翌日、バイトの帰りにあんずのマンションに寄った。あんずはこの前と同じシチュエーションで、コスプレをして、ローターを入れたまま、目を閉じ、ベッドに横たわっていた。おれはあんずが用意した衣装には着替えずに、ベッドに近づいていった。立ったまま、あんずの顔を見下ろす。土台がわからないほど白く塗った顔に化粧をほどこし、目尻《めじり》にまつげのエクステをつけたあんずは、近眼のおれが遠目に見れば高校生に見えなくもない。でも、ベッドのそばにしゃがみこんで、近づいて見ると、目尻にうすいしわが一本見えた。息を吸い込んで、あんずの耳元に口を近づけた。

「もうここには来ない」と言う自分の声の冷たさにびっくりした。あんずがゆっくり目を開けた。しばらく間があって、「いや」と聞き取れるくらいのほんの小さな声で言った。「来ない」ともう一度言うと、「だめだから」と言いながら、ベッドから起き上がり抱きついてきた。聞き慣れたローターの振動音が聞こえる。

「だんなさんがいるでしょ」と言う、おれの口を強い力であんずの手のひらがふさいだ。もう片方の手でおれの手を取り、自分の股間《こかん》に導いていく。いつものように下着はもうすっかり濡《ぬ》れていて、おれの手にローターの振動が伝わってきた。あんずの手がおれの股間に伸びる。その手を振り払って、「だってあんずのやっていること淫行《いんこう》だからね」と、できるだけ感情を抑えた声で言った。言った自分にいやな気持ちになった。だって、共犯だもの。

あんずが突然おれの腕をつかんで、力いっぱい噛《か》んだ。痛さで声が出そうになるのを必死でおさえた。右腕にあんずの歯形がついて、血が浮かんでいる。「もう会わない」ともう一回言って部屋を出ようとすると、「のろってやる」という大声とともに枕《まくら》が飛んできた。枕はおれの背中に当たって床に落ちた。痛くもかゆくもなかった。「ぜったいにここに戻って来るんだから」という声を背中に聞きながら、おれは玄関のドアを閉めた。

あれであんずと正式に別れたことになったのか、おれには初めてのことで、わからなかった。あんずのことだから、多分、しつこいほどメールが来たり、電話がかかってきたり、待ち伏せされたり、おれのコスプレ写真やそれ以外のやばい写真を近所にばらまかれたり、ということは、ある程度予想していたのだ。だが、あれ以来、あんずから毎日来ていたメールもぷつりと途絶えた。

プールで会う松永は毎日かわいかった。

福田には悪かったが、松永の自転車をおれがこいで、後ろに松永を乗せて通うようになった。松永の髪や、肌や、耳や唇には、水分が多く含まれていて、なんだか体の内側からぴかぴかに輝いているようで、細胞そのものが若いって感じがした。松永を抱きしめるおれの腕に浮かんだ、あんずの歯形は今にも消えそうになっていた。松永の家もおれの家も、家族が誰もいなくなる、ということがなかったので、おれたちはもっぱら、自宅とは反対方向に自転車を走らせ、大きな橋のたもと、松永の身長が隠れるほどの草が生い茂った場所に身をひそめるようにして、松永の体にさわりまくった。

松永からはアメリカのシャンプーみたいな安っぽい香りがした。おれの胸の位置の高さにある、松永のつむじをじっと見つめながら、あんずと過ごしたあの部屋のことを思い出していた。ふいに「斉藤くんのお母さんは助産師さんなんだよね」と、松永が聞いてきた。

「あたしも助産師になりたいんだよね」

「寝れないし、休みもとれないし、もうからないし、何もいいことないよ」と言うと、松永が顔をあげて、りすのような前歯を見せて笑いながら言った。

「だって、赤ちゃんすっごい好きだもん」

おれはなんとなくそのせりふに松永のあざとさも感じてしまったんだけれども。

「赤ちゃんが好きってだけでつとまる仕事じゃないのよ」

誰に聞かせるためだったのか、小さい頃からおふくろが何度も口にしていたせりふが耳をかすめた。親父《おやじ》が女をこさえて家を出て行って、それからおふくろはひとりでおれを育てた。おれは人ひとりこの世に生み出すために、うめき、わめき、泣き叫ぶ女の人をみて育った。

おふくろの書棚にある医学書の、数々の女性器の写真がおれの性の目覚めを促した。中学生になって、とある本に書いてあった「女の子の場合、生まれたときから卵巣《らんそう》の中にはすでに卵子のもとになる数百万個の原始卵胞が詰まっている」という文章にこれはショックを受けた。ゴキブリをたたきつぶしたときに、腹の中から卵が飛び出てきたのを見るような、そんな気持ち悪さを感じた。大好きだったイクラの醬油《しょうゆ》漬けが食べられなくなった。教室で隣に座る女子の腹にはつぶつぶの卵がびっしり、と考えた途端、口のなかにすっぱいものがこみ上げてきた。半年くらいは性欲も失《う》せてしまった。

いつの間にかそんなことも忘れていたのに、おれは今、松永の腹いっぱいに詰まった小さなつぶつぶをふと想像してしまい、ため息をついた。男も女も、やっかいなものを体に抱えて、死ぬまで生きなくちゃいけないと思うと、なんか頭がしびれるようにだるくなった。そのだるさを消すように、松永に激しくキスした。いつものクセで、松永の口の中に舌を入れていやらしく動かしてしまい、松永がとっさに体を離した。「なんだかこわい感じだよ」と笑いながら。

ざざざと音がして、草の茂みからホームレスのおじさんがにやにやしながら顔を出した。おれは松永の手をにぎって走り出し、土手を駆け上った。松永の自転車を置いてきた場所まで戻って来ると、ふくらはぎがずきずきした。見ると、左のふくらはぎが縦に一直線に切れて血が出ていた。「なんかすごい切れてるよだいじょうぶ?」と言いながら、松永がバッグからポケットティッシュを出して血をふいてくれた。あんずののろいだ、とおれはとっさに思った。

その人のことばかり考えていると、予想していない場所でその人に偶然会ってしまったりしてびっくりする。頭のなかで想像していたことが、頭のなかを飛び出して、目の前にあらわれたような気がするからだ。

おれは今日、おふくろに頼まれて、隣町のショッピングセンターに赤んぼう用の下着を買いに来た。ここ一週間ばかり真夏なのに長雨が続いていて、予備の下着がなくなりそうだから、ということで。生理用ナプキンも紙おむつの買い物もおれは別に平気なわけだけど。ガーゼの短肌着四枚と長肌着四枚、おふくろに言われたことをそのまま油性マジックでメモした手のひらを見ながら、ベビー用品売り場をうろうろしていると、人影が目に入った。あんずだった。夏休みだというのに誰もいないそのフロアにあんずが立っていた。手の中に隠れるくらいの小さな赤んぼう用の靴下をじっと見ている。長い時間をかけて柄やサイズを見比べて、まるで母親みたいに。おれは商品棚の陰から、ストーカーのようにあんずをしばらく見つめていた。

当たり前だけど、あんずはいつもの見慣れたコスプレじゃなくて、Tシャツにデニム、グレイのパーカーをはおった高校生みたいな恰好《かっこう》をしていた。だけど、突然あることがひらめいてみぞおちが重く、冷たくなったような気がした。もしかして、と思いながら、あんずに近づいていった。あんずがおれに気がついて、驚いた顔をして見上げた。

「子どもできたの？」

口の中の水分が瞬時に乾いて、かさかさになっているのが自分でもわかった。あんずは頭を横にふって、無理矢理に笑顔を作ろうとしたけれどうまくいかなくて、叱《しか》られた子どものような顔をしておれを見た。おれたちは見つめ合ったままその場に立ちつくし、しばらくするとあんずは手に持った赤んぼうの靴下を元の場所に戻し、足早にエスカレーターのほうに歩いて行った。

その日からおれの頭の中はあんずのことでいっぱいになった。

もしかしたら、生まれて初めて恋をしているのかもしれなかった。

頭のなかで、スローモーションで、コマ送りで、赤んぼうの靴下を手にとるあんずの姿をくりかえし再生していた。今日のバイトもさんざんだった。プールの監視員のくせにおぼれかけている子どもに気づかなくて、チーフにこっぴどく叱られた。松永は自分の話にうつろな返事しかしないおれに怒って、昨日から口を利《き》いてくれない。

自宅ではお産が続いていた。「満月だから仕方ないね」と言いながらおふくろは寝ないで働き続けた。そんなことを言うおふくろのことを、おれは小さいころ魔女だと思っていた。夜中もお産は続いていて、目を閉じても、おれの部屋にまでうめき声が聞こえてきて、なかなか眠ることができなかった。サンダルをつっかけて、河原までダッシュした。

水の流れる音がはっきりと聞こえるくらいの場所まで、川に向かって歩いて行った。足もとの小石を拾い、回転をつけて投げた。真っ黒な水面で石が跳ねる音がした。真夜中にする水切りのつまらなさにがっかりしたおれは、もう一度、足もとにある赤んぼうの頭くらいある石を拾い上げて、砲丸投げのフォームで川に向かって放り投げた。重さのせいか、どぷんという音とともに、すぐ目の前に落下した。ほっぺたに飛んできた生臭い飛沫《しぶき》を手の甲でこすりながら、ゆっくり歩いて川から離れ、土手にしゃがみこんで煙草《たばこ》を一本、煙を肺にためるようにしてゆっくり吸った。

雲間から顔を出した満月が川を照らした。

川の向こうにあるあんずのマンションを見た。ひねった蛇口から水が出るように、涙がだらだら流れた。ぬぐいもせず、流れるままにしていた。あごから足もとの草むらに涙がぽたぽた垂れた。親父がある日、突然いなくなったときも、おれはこんなふうに川を見ながらだらだらだら涙を流していた。土手で声をあげて泣き、家に帰って親父の部屋の箪笥《たんす》の下にあった青い畳を見て、また泣いた。それ以来、親父とは会っていない。親父との別れでは、おれは一方的に傷つけられた子どもだった。傷つけられたと思うのも子どもの特権だ。だけど、おれはいつまでも傷つけられた子どもじゃないんだ。あんずと細くつながっていた糸をぷつんと切ったのはおれだ。こんなふうに土手に座り、あんずを思い出して泣いている自分が急に恥ずかしくなって、ぎゃ――っと大声で叫びながら、頭を抱えて土手をごろごろ転がった。Tシャツのなかに草が入ってちくちくした。鈴虫の鳴き声が、耳の奥で反響した。

　翌日、おれはバイトを無断欠勤してあんずのマンションに向かった。

　廊下ですれ違ったスーツ姿のやせた男がおれをいぶかしそうな目つきで見た。男がエレベーターに乗り込んだのを確認して、あんずの部屋のチャイムを鳴らした。しばらく間があって、「はい」とインターフォンからあんずの声がした。「おれです」と言ったとたん、インターフォンはぶちっと切れ、また、しばらく間があって、あんずがドアを細く開けて顔を出した。今起きたばかりのようなねぼけた顔をしていた。ドアから差し込む夏の光があんずの顔を照らすと、ほっぺたに星雲のように散らばったそばかすがはっきり見えた。おれは強引にドアを開け、玄関に入った。黒いタンクトップに大きな花柄がプリントされた布を腰にまきつけたようなスカートをはいたあんずがおびえた顔でおれを見た。玄関に立ったまま、あんずの両腕をつかんでくちづけた。朝食のメニューだったのか、あんずの口の中にベーコンの塩気を感じた。

　おれはどろどろのマグマみたいに自分のなかにわきあがるものを止めるつもりもなかったし、止めることもできなかった。あんずもおれの行動を拒否しなかった。あんずにくちづけたまま、靴を脱ぎ、なぜだか段ボールの箱がたくさん積まれた廊下の壁にあんずを押しつけた。スカートの中に手を入れ、片手で下着をずらし、もう片方の手であんずのしりを力いっぱいにぎった。ふたりとも口のまわりはだ液でベタベタだった。おれはベルトをはずし、ズボンやパンツが中途半端《はんぱ》に脱げたまま、あんずの中に入った。充分に濡れてはいなかったけれど、あんずの中は今までいちばん熱かった。あぁぁぁぁぁぁぁぁとあんずが聞いたことのないような大きな声を出して、その声におれは興奮した。体勢が不安定なまま腰を動かした。二、三回動かしただけで、まずあんずが、続いておれもいってしまった。あんずは息も整えないまま、おれの手をひっぱって、廊下の奥にある部屋に連れて行った。おれが一度も入ったことのないリビングだった。リビングに続くダイニングのテーブルの上には、二人分の朝食の皿やコップがのっていた。

カーテンを閉め、あんずがすばやく服を脱ぎ、おれの服を脱がせた。床に倒れそうになりながら、その間もずっとくちづけたままだった。なにかの罰ゲームみたいだった。あんずがリビングのソファに横たわった。薄暗がりのなかで、あんずの全裸を初めて見た。張りを少しだけ失った大きめの胸が、重力に従って、ななめ下にたれていた。色素の薄い小さな乳頭を口にふくみ、飴《あめ》をなめるように口の中で転がした。力強く吸ってみたり、舌の先でやさしく触れたりした。そんなおれの姿をあんずはしっかり目を開けて見ていた。まるで目にやきつけるみたいに。

あんずの中からあふれた温かな液体が、布製のソファにしみをつくった。あんずの片脚をソファにのせて、液体がわきだすその中心に舌をさしこみ、入れたり出したりした。すぐにあごが疲れたけれど、おれはやめなかった。朝からなにも食べてない腹がぐうと鳴った。何も生み出すことのないあんずのここからあふれるこの液体で腹を満たしたいと思った。ちゅうちゅうと音をたてて吸うと、あんずの声が大きくなった。あんずの手がおれの頭をおさえて、息ができなくなりそうだった。

「もっと舌をとがらせて」

小さい声だけれど、はっきりしたオーダーだった。舌をUの字に丸め、できるだけ細くして、かたくなったクリトリスをはじくようになめた。はぁああと声が続いて、「いれてください」とおれの目をまっすぐに見てあんずが言った。その言葉だけでいってしまいそうだったけれど、必死に我慢してあんずのなかに入っていった。

ひざの裏をつかんで、あんずの脚を頭のほうに上げ、腰を動かした。いつもは正常位になると、いやがってすぐに体勢を変えようとするあんずなのに、今日は声をあげながら、おれの目から視線をはずさなかった。おれの動きに合わせて、あんずが腰を回した。あんずがおれの顔に手を伸ばして、口の中にひとさし指を入れて、おれの口の中をかきまわした。あ――んとあんずが子どもみたいな声をあげて、ペニスの先にかたいものが触れたとき、もう限界だった。頭のうしろのほうで細い光の線が一瞬見え、快感で鼻の下がむずむずした。次の瞬間、息を吐くと同時にあんずのなかに大量の精液を放出した。

あんずの中心から白濁した液体がたれている。あんずは指を伸ばしてそれをすくい、舌で少しなめて、「おいしくない」とおれの目を見て笑った。その顔を見て、おれはまた、あんずのなかに入っていった。

「しばらくだんなとアメリカに行くことになったの」とあんずが言ったのは、数え切れないほどのセックスを終えて、二人でシャワーを浴び、あんずが切ったすいかを食べていたときだった。

「アメリカ?」

「そう」

「アメリカのどこに?」

あんずが濁音の多い土地の名前を口にした。聞いたところで、おれはそこがアメリカのどこにあるのか知らないのだけれど。

「赤ちゃんを産んでくれる人に会いに行くの」

「赤ちゃんって誰の？」

「私とあなたの」すいかの汁を勢いよく吸いこんでしまって激しくむせた。

「うそ」と表情を変えずに言ったあとに、あんずはすいかを一口かじって飲み込んだ。

「私とだんなの子どもを産んでくれるかもしれない人に会いに行くの」ひぐらしの鳴き声が聞こえてきた。

「なにかのアニメのなんとかという役」のコスプレ姿で、生まれたばかりの赤んぼうを抱えたあんずの姿が頭のなかに浮かんだ。

おれはあんずが皿の上に置いたすいかを見つめたまま動けなくなった。あんずがかじった部分が、きれいなUの字を描いている。あんずがおれの右腕につけた歯形と同じだった。思わず自分の右腕を見た。もうそこには何の跡もなかった。

どんな感情も表さないと決めたような顔で「今までありがとう」と小さな声で言って、あんずが頭を下げた。「行かないで」躊躇《ちゅうちょ》する間もなく、おれの口から言葉が出た。「いやだいやだいやだ行かないで行かないで行かないで行かないで。おれを置いていかないで」。ぶざまに駄々をこねることで、あんずが行かなくてもいいことになるんじゃないかと本気で思ったのだ。おれは子どもだから。あんずはそんなおれを一瞬だけ泣きそうな顔で見て、「もうおうちに帰らないとね」と、さっきよりももっと小さなかたい声で言った。

夕焼けではちみつ色に染まった空を、橋の真ん中に突っ立ってばかみたいにながめていた。ここから落ちたら死ねるかなと思いながら。よろよろと松葉杖《づえ》をつきながら、二学期の始業式に出かけるおれの姿が浮かんだ。

太陽が隠れていく西の空のふもとの山に、ガキのころ親父《おやじ》と出かけたことがある。山奥の岩の間からわき出たこの水が、あの川になるんだぞ、と親父は言った。おれはこんなに澄んだ水が、家の近くを流れているよどんだ川になるなんて、ちっとも信用できなかった。橋の下を見ると水量が少ないのか、川は途中で二つに分かれ、その中央に乾いた白い川底をさらし、そして、またその先で合流してひとつの細い川になっている。

親父もおふくろも、激しい夫婦げんかをしたあとには、おれを山に連れて行った。親父はおれを連れて。おふくろもおれを連れて。だけど、家族三人で山に行った記憶はない。親父は山に入ると途端に早歩きになり、おれはリュックを背負った親父のでかい背中を見失わないように、走って追いかけた。おふくろは拾った小枝を手に持って、山道の両側に生えている草をぶったたきながら、やっぱり後ろにいるおれを振り返らず、ずんずん歩いて行った。

親父が家を出て行って、おふくろが助産院を始める前、おふくろは小学校に入ったばかりのおれを、山の中の神社に連れて行った。ぽかんと口を開けたまま、「水分神社」と書かれたでかい石柱を見上げていると、おふくろは「すいぶん、じゃないよ。みくまり」とだけ言って、石の階段をたったたっと駆け上っていった。おふくろを追いかけて、目をつぶり手を合わせているおふくろを真似《まね》た。目を開けて見上げても、ずいぶんと長い間、おふくろは手を合わせたまま動かなかった。おれはおふくろの足もとにしゃがみこみ、一列になって進む蟻《あり》に手のひらからさらさらと砂を落とした。それにも飽きて、まだ手を合わせているおふくろの腕を引っ張った。

「何をおいのりしているの？」

「子どものことだよ」おふくろは目を閉じたまま言った。

「ぼくのこと？」

「もちろんあんたも。ぜんぶの子ども。これから生まれてくる子も、生まれてこられなかった子も。生きている子も死んだ子もぜんぶ」

ふいに、ばしっとしりを叩《たた》かれた。

振り返ると自転車に乗った松永だった。松永はおれの顔をみて、ば・かと、口の動きだけで伝えて、そのまま走り去って行った。

ふらふらと家に帰ると、おふくろが廊下をバタバタと走り回っていた。おれの顔を見ると、「ばか息子っ！　手を洗って早くこっちに来て！」と言いながら、奥の部屋に小走りで入って行った。洗面所であわてて手と顔を洗い、おふくろのあとを追った。

「汗をふいて、水を飲ませてあげて」とおふくろが怒鳴る。部屋の真ん中に敷かれた布団《ふとん》の上では、真っ赤な顔をしてぐったりとした女の人が脚をM字に開き、はっはっはっはっと短い呼吸を繰り返していた。

おれは女の人の背中側にひざをついて座り、後ろに倒れそうな彼女の体を支えながら、ストローを差し込んだペットボトルの水を飲ませた。限界ぎりぎりまで開かれた脚の中央には、赤んぼうの頭がすでに見えている。医療用グローブをしたおふくろの手が、赤んぼうの頭をやさしく支える。んあああああああああああ、と小柄な体に似合わない獣のような声をあげながら、女の人が頭の上に手を伸ばし、おれの腕を折れそうなほどの力でつかんだ。ばしゃっと音がして、女の人のあそこから羊水が大量に流れ出た。「来るわよ」とおふくろが言い終わらないうちに、女の人のああああああという絶叫とともに赤んぼうの体がずるりと外に出た。体中に白い胎脂をまとった小さな赤んぼうは、空をつかむように細い両手を広げ、歯のない口を開けて泣き出した。おふくろが、へその緒がついたままの赤んぼうをあお向けに寝た女の人の胸元にのせたとき、小さな体の割りにはでかく見えるちんこが見えた。おまえ、やっかいなものをくっつけて生まれてきたね。

おふくろが開けた窓から、なまぬるい風が入ってきた。へその緒を切って後産の始末をするおふくろと、今さっき母親になったばかりの女の人の、白い胸の上で泣き続ける赤んぼうをぼんやりながめていた。赤んぼうといっしょにおれも声をあげて泣きたかった。あんずに吸われた舌とちんこがひりひりしていたから。

世界ヲ覆《おお》フ蜘蛛《くも》ノ糸

小刻みに震えながら下降していくエレベーターが三階で止まり、木村さん親子が会《え》釈《しゃく》をしながら入ってきました。ボリュームのある髪の毛をくるくるとまとめて頭頂部でおだんごに、体のラインを隠すようなふわっとしたギンガムチェックのワンピース。親子おそろいの恰好《かっこう》がとてもよく似合います。シュッという空気の漏れるような音がして扉が閉まり、エレベーターは再び下降を始めました。

「ブログいつも見てますよ」と、私が言った瞬間に、木村さんの体がビクッとしたのがわかりました。娘さんの肩を抱いて自分のほうに抱き寄せ、顔だけを後ろにいる私のほうに向けて「ありがとうございます」と小さな声で木村さんが言いました。

夕食のメニューを決めようと、ネットを見ていたときに偶然発見したのが、木村さんのブログでした。木村さんのブログはとても人気があるらしく、お料理ブログランキングで、常に十位以内にランクインしていました。娘さんの顔には、ぼかしが入っていましたが、木のテーブルと椅子《いす》が置かれたベランダから見える景色、リビングの梁《はり》の位置、そして、よく登場するランチョンマットは、私もよく行く百円ショップのものだったので、このブログを書いている「みぃさん」という方はマンションの草むしりでよくお会いする木村さんだと確信したのです。

でも。またしても言ってはいけないことを私は言ってしまったみたいです。私は木村さんのことを知っていても、多分、木村さんは私の顔なんて覚えてないみたいだし。だけど、エレベーターの密室で続く、無言状態に耐えられなくて。人気ブログを書いている人が同じマンションに住んでいても、「ブログ見てます」なんてこちらから言ってはいけないんですね。こういうことがわからないから、私はだめなんですよね。でも、不思議です。ブログを書いている人に、「読みましたよ」と言うと、少しだけ困ったような表情になるのはなぜなんでしょうか。やっぱり感想はコメント欄に書かないとだめなんでしょうか。もしかしたら本当は読んでもらいたくないのでしょうか。

でも。ネットの情報って世界に向けて発信されているんですよね。鍵《かぎ》をかけないかぎり、自分の部屋に見ず知らずのお客様を招き入れているようなものですよね。だから、自分の知らない誰かの目に触れてもおかしくないですよね。……こういう屁理屈《へりくつ》を考えているから、私は人に好かれないんでしょうか。

慶一郎さんが前に教えてくれました。ウェブサイトのアドレスに書いてあるwwwって、世界を覆《おお》う蜘蛛《くも》の巣っていう意味なんだって。慶一郎さんは私が知らないことを、ばかな私にもよくわかるように説明してくれます。そのときは、インターネットのしくみについてもくわしく教えてくれたのですが、それは私には難しくてなんだかよくわからなくて。でも、地球が透明でふわふわな蜘蛛の糸に覆われていて、そこを情報が行き交うたびに、ぴかぴかと光るのは、ちょっときれいかも。地球を覆うほどの糸を吐き出す蜘蛛はやっぱり北極あたりにちょこんといるんだろうか、なんてことをぼんやりと考えていたら、慶一郎さんに「またぼくの話を途中から聞いていなかったでしょ」と笑いながら言われました。

エレベーターが一階に着くと、幼稚園のバスがやってくる時間なのか、マンションの玄関前には小さな子どもを連れたたくさんのお母さんたちが集まっていました。木村さんと娘さんはその集団のなかに混じり、すぐに楽しそうにおしゃべりを始めました。私が会釈をしながら、その集団の前を足早に通り過ぎたとき、木村さんがちらっと私を見たような気がしました。多分、私のことを話すのかな。話すかもしれませんね。さっきあの人怖かったんだよ、って。相手のお母さんは、うそぉ、と言いながら、木村さんの話を聞いてあげるんでしょうね。そんなちょっとしたことを話せるお友だちがいたら、私の毎日ももっと楽しくなるかもしれません。でも、中学も高校も女子校で、ずっといじめられながら過ごしてきたので、女の人の集団は今でも苦手です。遠くから、たくさんの女の人がかたまっているのを見るだけで心拍数が増えるような気がします。高校を卒業してもう十年近くたっているのに、当時のことを思い出すと、みぞおちのあたりが急にもぞもぞしてなんだか落ち着かなくなるのです。

市内を循環する小型バスに乗って、隣町のレディースクリニックに向かいます。梨畑《なしばたけ》の間をすり抜けるようにしてバスは進み、小さな山のふもとにあるクリニックに到着しました。診療時間前なのに駐車場にはすでにたくさんの車が停まっています。クリニックのドアを開け、待合室の人工皮革のピンク色のソファに座るたくさんの女性を見て、あぁ今日も長い時間待たされるのかなぁと、ため息が出ました。

受付を済ませて、隅っこの席に座りながら、iPodでアニソンを聞くことにします。さっき、マンションで会ったお母さんたちとは違って、ここにいる女の人たちは、私はなぜだかあまり怖くないのです。例えば、私がこの待合室でアニメ雑誌や同人誌を広げたとしても、まわりの人は私のことを見もしないし、私のことをいじわるく話のネタにする人もいないと思うのです。それだけ、ここにいる人は、自分のことでいっぱいいっぱいな感じ。そしてなぜだか、私はそんな人たちの中に混じっていることが嫌いじゃないんです。でも、ここにいる女性も妊娠して子どもができたら、どうでしょうか。やっぱり、さっきの木村さんと同じように、私のことをなんだか気持ち悪い人だと思うのかもしれませんね。

不妊治療には定評のあるクリニックなので、新幹線に乗ってやってくる人もいるらしいのです。先生も看護師さんも受付のスタッフもいつも笑顔で受け答えがていねいです。女性ホルモンの分泌《ぶんぴつ》を高めるらしいピンク色だらけのインテリアや、どこかかかすかに漂ってくるラベンダーの香り、水の流れる音をアレンジしたヒーリングミユージック。子どもがほしいと切実に願う女性の心を癒《い》やす工夫がさまざまに施された空間で、私は自分の順番がやってくるのを待ちます。プライバシーに配慮して、このクリニック内では名前は呼ばれません。自分の番号が受付の上にある電光掲示板に表示されるのをただひたすら待つのです。

子どもは嫌いじゃないです。

でも、私も慶一郎さんも自分の子どものことを考えると、あまりに現実味がないのです。でも、もし、できたら産んでもいいのかな。そんな曖昧《あいまい》な気持ちでここに来ているのは私くらいかもしれませんね。親になることに積極的になれない私がこのクリニックに来るようになったのは、慶一郎さんの母であるマチコさんに強くすすめられたからです。

「結婚して五年も経《た》っているのに子どもができないのはおかしいわ」と、マチコさんがこのクリニックを探して、予約までしてくれて、私をこのクリニックに強引に連れてきてくれたのです。

通い始めてすぐ、たくさんの検査をしました。痛い検査も怖い検査も、我慢して受けました。その結果わかったことは、私も慶一郎さんも、たくさんセックスをしただけでは自然に妊娠しにくい体ということでした。私の卵管は学生時代にかかった性感染症を放置していたせいで、卵子がスムーズに通れないほどに狭くなっていたし、卵《らん》巣《そう》から排卵された卵子をキャッチする部分にも異常があるということでした。そして、慶一郎さんの精子にも問題がありました。同年代の男性よりも数が少なくて元気もなかったのです。そして、最後にわかったのは、私のおりものには、慶一郎さんの精子を異物と判断してしまう抗体があるということでした。私は慶一郎さんを愛しているつもりですけれど、私のおりものは慶一郎さんの精子を拒否しているということです。これは一体どういうことなんでしょうか。私のおりものは慶一郎さんを愛してはいないのでしょうか。考え始めると頭がもやもやします。

それでも、検査の結果わかった「私たちが妊娠できないさまざまな理由」を聞いて私も慶一郎さんもほっとしたのです。あんたたちは子どもを生まなくていいよ、と神さまから言ってもらったようで。でも、マチコさんは納得しませんでした。理由のひとつひとつを追及されましたが、マチコさんには「難しい話はよくわからないけれど、生まれつき私の卵管が狭くて自然妊娠は難しいみたいです」とだけ報告しました。慶一郎さんのことをとても大事に思っているマチコさんに、息子さんの体のことを伝えるのは勇気がいります。話をしたあと、私の顔をしばらく見つめて、「費用はすべて持つから人工授精にチャレンジしなさいよー」と満面の笑顔で言ったマチコさんは怖かったです。私も慶一郎さんもマチコさんの言うことには逆らえません。だから、一、二年はマチコさんの言う通りにして、あとはなし崩し的にあきらめてもらおうということで、私と慶一郎さんとの間で意見が合致したのです。

予約時間から一時間たって、やっと診察室に入ることができました。先生は淡々とした表情で、「今回は残念ながら……、妊娠反応はありませんでした」と、人工授精が失敗したことを伝えてくれました。先生に言われるまでもなく、自分の体が妊娠していないことはなんとなく感じていました。本当は子どもなんか欲しくないくせに、先生に無駄な手間をかけさせたり、疲れさせたり、ほかの患者さんを待たせていることを申し訳なく思いました。髪の毛のほとんどが白髪になりつつあるこの先生は、今日、何回、妊娠できなかったということを女性たちに告げるのでしょうか。

五分にも満たない診察を終え、支払いを済ませても、待合室にはまだたくさんの女性が自分の順番がやってくるのをおとなしく待っていました。待合室はとても静かですが、ここには、自分やだんなさんのDNAをこの世に残したいという熱気のようなものが充《み》ち満ちているような気がしました。私や慶一郎さんに欠けている、そんな情熱に息苦しさを感じてしまって、クリニックを出るとき、私はいつも少しだけ急ぎ足になってしまうのです。

iPodでアニソンを聞きながら夕食の準備をします。塩蔵わかめを水で戻し、きゅうりを軽く塩もみ。三杯酢も、ハンバーグのつけあわせにするマッシュポテトも今日は上手にできたと思います。歌いながら、ボウルの中のひき肉をこねていると、突然、後ろから抱きすくめられました。慶一郎さんが私のイヤホンを外して、

「外の廊下まで聞こえるよ里美《さとみ》ちゃんの歌声が」と私の耳もとで言いました。

「今日はハンバーグかー」と言いながら、洗面所に向かった慶一郎さんの顔はひどく疲れていました。私とたいして身長が変わらない慶一郎さんですが、仕事を終えて帰

って来ると、朝見たときよりも、体全体が縮んだように見えます。慶一郎さんは製薬会社でMRと呼ばれる営業の仕事をしています。また、ドクターにいじめられたのかな。開業医の担当になってから、こんなに早く帰れることはめったにないのです。慶一郎さんの担当ドクターのなかにひどく難しい方がいるらしく、休日に早朝からゴルフにつきあわされたり、娘が行きたいというジャニーズのコンサートチケットを用意させられたり、苦手なカラオケで夜遅くまで接待させられたりと、大学病院を担当していたときとは違う慣れない営業が続いていたのです。

「里美ちゃんのハンバーグは結構うまいんだよな」と言いながらも、あまり箸《はし》がすすんでいない慶一郎さんを見ていると、「あなたと結婚してから慶一郎はずいぶんやせたわねぇ」とマチコさんに言われたことを思い出して、ちょっぴりゆううつな気持ちになりました。結婚するまで料理をほとんどしたことがなかったので、ベテラン主婦のマチコさんには到底かないません。

「あのね、今日、クリニックに行ってきたの」と私が言うと、慶一郎さんが箸を置いて私を見ました。

「人工授精ダメだった」

湯のみに入ったお茶をふーふーと吹いたあとに、慶一郎さんが何も言わずにうなずいて、湯のみをテーブルに置きました。

「ごめんねお茶、熱かった？　氷をいれようか」

　慶一郎さんはひどい猫舌なのです。結婚したばかりのころ、よそったばかりのごはんが熱い、と慶一郎さんが突然キレたことがありました。私はどきどきしながら冷蔵庫に氷を取りに行き、スプーンにのせた氷をそっと慶一郎さんの湯のみの中に入れました。あわてていたので、氷を入れた瞬間にお茶が少しだけテーブルの上にこぼれてしまいました。台ふきんでテーブルを拭《ふ》こうとすると、「おふくろには里美ちゃんから言っておいてね」と言いながら、慶一郎さんは席を立って自分の部屋に行ってしまいました。

　慶一郎さんのハンバーグは半分以上残っていました。私、お料理、もう少しがんばらないといけないですね。

「ぼくら二人のいじめられっ子のＤＮＡを受け継いだ子どもなんて、この世の中で生き残れるはずがない」というのが、慶一郎さんの意見です。私もそう思います。でも、慶一郎さんは本当にいじめられっ子だったのかしら、とふと思うこともあるのです。でも。聞きたいけれど、怖いような気もして。

慶一郎さんの湯のみの中の氷が溶けて、表面がふくれたようになって、今にもお茶があふれそう。こういうの、何て言うんでしたっけ？　表面張力？　今すぐ慶一郎さんに聞きたい気もしますが、さっきの慶一郎さんの様子では明日にしたほうがいいみたいですね。あと一滴、ここに水が落ちたら、またお茶がこぼれてしまいます。隣のお宅でしょうか、大きなテレビの音と、けたたましい子どもの笑い声が聞こえてきました。桜が咲いても夜はまだずいぶん冷え込みます。開けっ放しになっていたリビングのサッシを閉めました。私のハンバーグはまだ手をつけていなかったので、ラップをかけて冷蔵庫にしまいます。これは、明日のお昼に食べることにします。慶一郎さんの食べ残したハンバーグをつまんでいると、水道の栓がゆるいのか、流しの中にあるコップの中に、ぽとん、ぽとんと水が落ちる音が聞こえてきます。

いかにも女子中学生にありがちなひとりよがりの想像ですが、私の胸のなかにも、あの流しにあるような空のコップがあって、学校でいじめられるたびに、一滴、一滴、水がたまっていくような、そんな気分になることがありました。

最初にいじめられたきっかけはなんだったのか、いまだに私にもよくわかりません。でも、私はでぶで、ぶすで、勉強も運動もできなかったし、とろいし、今日、木村さんに言ってしまったように、ずいぶんと空気の読めない発言をしたこともあったのかもしれません。当時の私は、ふっくらした一重まぶたでとても目が細かったので、私が視線を向けただけで、「江藤ににらまれた」と言いがかりをつけられました。それほど頭のいい学校ではありませんでしたが、校則だけはとても厳しいカトリックの学校だったので、日々のストレスを解消するようなターゲットが欲しかったのでしょうか。でも多分、理由なんてないですよね。いじめたい気持ちがあって、目の前にいじめやすい私がいただけなんですよね。球技大会のソフトボールの試合でミスをくり返したときは、放送室の中に閉じこめられて、「あなたのせいでうちのクラスは優勝できなかった」と、クラスメートから激しく罵倒《ばとう》されました。放送室というのは、今思えばいじめに最適な場所です。ドアを閉めてしまえば、どんなに大声を出しても、外には漏れませんから。

休み時間は、大好きなアニメキャラをノートに描いて過ごしていました。私がトイレに行って帰ってくると、机の上に置いてあったノートはびりびりに破られ、表紙には黒いマジックで「気持ち悪いオタク女」と書かれていました。学校では友だちと話すこともなく、心の中だけで話すくせがついていたので、(そんな私ごときでオタクなんてめっそうもない)と思った自分にクスッと笑ってしまいました。そんな私を誰かが見ていたのか、きもっ、という声が教室のどこからか聞こえてきました。

悲しかったけれど、頭の悪い私が勉強をがんばって、中学校に入れたことをとても喜んでくれたパパに悪い気がして、一日も休まないで学校に通いました。私がまだ赤ちゃんのころに、ママが乳がんで死んで、焼き肉屋さんやラブホテルを経営していたパパは、再婚もしないで一人で私を育ててくれました。中学に入ってすぐ、初潮が来た私の世話をしてくれたのもパパでした。パパが慌《あわ》てて薬局で買ってきたのは生理用ナプキンじゃなくて、お化粧に使うコットンでした。私も初めてでよくわからなかったから、股《また》に挟むとごわごわする小さなコットンを、なんかヘンだな、と思いながらも、しばらく使っていましたが、それに気づいたパパのお姉さんは、豪快に笑ったあとに大きな声で泣いて、ちゃんとした生理用ナプキンを買ってくれました。

「どうだい里美、学校は楽しいかい?」と毎日聞いてくれるパパには笑顔で返事をしていました。でも、私の胸のところにあるコップはもう限界でした。あと一滴、水が落ちたらこぼれてしまうところまできていたのです。いじめは日々エスカレートして、最終的には私の存在は一〇〇%完璧《かんぺき》に無視されるようになりました。クラスメートから声もかけられず、視線を向けられることもなく、学校にいる間は椅子《いす》に座ったまま、ただ、時間だけが過ぎていきました。学校を終えて家に帰ると、体がぐったりとして、夕方になると毎日微熱が出ました。電気もつけずに、ベッドにもぐったまま、パパが買ってくれた小さなＤＶＤプレーヤーでアニメを見続けました。気がつくといつの間にか朝が来ていて、吐き気を抑えながら制服を着て、学校に向かいました。いじめられていたほうがまだまし、とは絶対に思いたくなかったけれど、それでも、やっぱり、いじめられていたほうがよかった。きつい毎日でした。そして、そんな生活は高校卒業まで続きました。

初めてセックスをしたのは、大学に入ってからでした。私の偏差値でも苦労せずに入れる四流の大学でした。入学した途端、私は急に男の子にもて始めました。大学に合格した記念に、パパが二重まぶたの手術を受けさせてくれたからでしょうか。たくさんの男の子が私に声をかけてくれて、私は声をかけてくれた男の子全員とセックスしました。こんな私に声をかけてくれることがうれしかったし、どうやって断ればいいのかわからなかったからです。断っていやな顔をされるよりは、セックスをしたほうがまだまし、と思っていました。相変わらず女の子の友だちはいませんでしたが、好きなマンガやアニメの話ができるボーイフレンドもできて、私はとてもしあわせでした。カバンの中に時々入っている、ヤリマンのメス豚、という殴り書きのようなメモヤ、水子供養《くよう》はしなくていいんですか？　というメールは、見て見ぬふりをしました。

大学時代はたくさんの男のお友だちとセックスをしたけれど、セックスが気持ちいいなんて一度も思ったことはありません。ラブホテルの天井の鏡に映る、大きな背中のボーイフレンドに組み敷かれている自分を見ると、セックスをしていてもなんだかいじめられているみたいだなぁと思いました。彼が腰を動かすたびに、大臀筋《だいでんきん》が盛り上がるのが見えました。なんで、こんな滑稽《こっけい》な動きをしなくちゃいけないんでしょうか。ほかの人はセックスの最中に吹き出してしまうことはないんでしょうか。

気持ちがよくなくても、私のなかから温かい液体があふれます。汗をかいて一生懸命に腰を動かす彼に対して、なんだか申し訳ない気持ちになってしまいます。小さなあえぎ声をあげて、背中に爪《つめ》をたててあげると、「いってもいいんだよ」と彼が荒い息で私の耳もとで言いました。エロいアニメを真似《まね》して「いっちゃうようぅ」（もちろん嘘《うそ》です）と高い声で叫ぶと、腰の動きが二倍速になって、彼がすぐに果てました。クリトリスをしつこいほどいじられたり、中指で膣《ちつ》の内壁をごしごしこすられたり、一分ごとに体位を変えられたり、さまざまな創意工夫をしてもらってごめんなさいと思いました。私はＢＬの同人誌を見ながら、マスターベーションをすることでしかいけないのに。

大学を卒業したあとは、パパのコネで小さな自動販売機メーカーに勤めることになりました。勉強も苦手でしたが、仕事はもっと苦手でした。コピーもファクスもパソコンも、なぜだか私が触れると調子が悪くなりました。得意先からの電話を書き留めたメモは内容が三割しか合ってないと上司から罵倒されました。

パパは私が就職して半年後にくも膜下出血で突然亡《な》くなりました。たくさんあると思っていた財産のほとんどは、借金返済のために持っていかれ、一生この会社で罵倒され続けて働くのかなーと不安になっていたときに、出会ったのが慶一郎さんでした。会社のそばの定食屋さんで度々私を見かけてくれていたようなのですが、私はまったく記憶にありませんでした。ある日、その定食屋さんに携帯電話を置き忘れてしまったのですが、私は気づかずに自宅に帰ってしまいました。真夜中、自宅の電話が鳴りました。電話をとると、男の人の声がしました。

「窓の下の街灯を見てください」聞いたことのない無表情な声が聞こえて、パパがいなくなったあと、ワンルームマンションに一人で住んでいた私は少し怖くなりました。カーテンのすき間から窓の下に目をやると、薄暗い街灯の下に、見知らぬ男の人が、私の携帯を片手で掲げて笑いながら立っていました。

「今すぐ持っていきますから」と言ったまま、電話は切れて、しばらくすると玄関のチャイムが鳴りました。何回もチャイムは鳴り続けて、出ようかどうしようか迷っていると、隣の人が壁をドンと蹴《け》る音がしました。あわてて玄関の灯りをつけ、ドアを少しだけ開けると、私とたいして背の高さが変わらなくて、小太りで小さな銀色のメガネをかけたスーツ姿の男の人が立っていました。

「もう少し早い時間に届けてあげたかったんだけど。なかなか仕事が終わらなくて」

そう言いながら、チェーンをかけたままのドアのすき間から手を伸ばして、ピンク色の私の携帯を渡してくれました。ありがとうございます、とお礼を言ったのですが、その人は薄手のパジャマにカーディガンを羽織ったままの私をじろじろと見たまま、なかなか帰ってくれませんでした。あぁ、私がきちんとお礼を言わないからこの人は怒っているのかも、と思い、「あの、ほんとうにありがとうございました」ともう一度言うと、ドアのすき間から、小さなケーキの箱を無理矢理入れようとするので、私はあわててドアチェーンを外してしまいました。その人は、私の部屋のなかをぐるりと見回したあと、上着の内ポケットから名刺を一枚出して私に手渡し、早口で言いました。

「あのぼく、岡本慶一郎といいます前からあなたのことが好きでしたよかったらつきあってください」どう返事をしていいのかわからず、手渡された名刺を見つめたまま立っていると、私の胸のあたりにケーキの箱をぐいっと押しつけて、「今日はこれで失礼します」と、足早にその人はドアの前から去っていきました。あの人は一体何だったんだろう、と思いながら、ケーキの箱を冷蔵庫にしまい、私はベッドに入りました。玄関先で長いこと素足で立っていたので、爪先《つまさき》がいつまでも冷たくて、その日はなかなか眠ることはできませんでした。

翌日、会社から帰ると、慶一郎さんが昨日と同じケーキ屋の箱を持ってドアの前に立っていました。驚きながらも、「あの、昨日はありがとうございました」と頭を下げると、「これから夕飯でもどうですか」と半ば強引に駅前の居酒屋に連れていかれました。大きなジョッキに入った生ビールをぐいぐいと飲んで、慶一郎さんは仕事のぐちを延々と話し続けました。あまり興味のもてない話だったので、そうですねー、大変ですねー、そうかもしれないですねーと、三種類くらいの相づちを適当にくり返しうっていると、慶一郎さんは突然、「あなたはやさしい人ですね」と、今にも泣きそうな顔をして、テーブルの上の私の手をぎゅっと握りました。

丸顔で背が低くて、スーツのまるで似合わない慶一郎さんのルックスは私の好みと正反対だったし、正直に言えば、慶一郎さんのことは好きでもないし嫌いでもありませんでした。けれど、三回目のデートでプロポーズされて、私がすぐに結婚を決めたのは、「結婚後は仕事をしなくていい」と慶一郎さんが言ってくれたからです。慶一郎さんの勤めている大きな製薬会社なら、多分、お給料も高いし、倒産の心配もないはず。会社で罵倒される毎日にも疲れていたし、パパがいなくなってひとりぼっちになった私にとっては、慶一郎さんが連日自宅にやって来たり、一日に何十通とメールが来てもうれしかったのです。「里美ちゃんを大事にするからね」とパパみたいに言ってくれる慶一郎さんが現れて、あぁこれで私は生き延びることができると心から思いました。

結婚して退職することを上司に報告したあと、給湯室の前を通りかかると、「あのストーカーと結婚するんだぁ」という声が聞こえました。「犯罪者が一人片づいて良かったじゃん」煙草《たばこ》の煙が給湯室の外にも流れてきます。

「本当だったら警察沙汰《ざた》だよあんなの。総務部の清水さん、毎日自宅にまで押しかけられてノイローゼみたいになってたもん」

自分のマグカップを持ち帰りたかったので、給湯室に入っていくと、同僚たちが話をやめて一斉に私の顔を見ました。流しの上にある戸棚をのぞいてマグカップを探し

ていると、

「あ、あの、里美。結婚おめでとう。送別会の相談させてね今度」同僚の一人が少しうわずったような声で言いました。

「だんなさん一流企業で、専業主婦なんていいなー。もう、満員電車に乗らなくていいんだもんねー。里美がうらやましいよ」

「ほんとほんと、うらやましすぎるー」

いつもの場所にマグカップはありませんでした。ふと給湯室の隅を見ると、半透明のゴミ袋の中に私のマグカップが透けて見えました。ゴミ袋を開けてマグカップを手に取ると、持ち手のところに大きくひびが入っていました。マグカップをバッグに入れ、再びゴミ袋の口をきつく結ぶ私を、同僚たちは黙って見つめていました。

「今までありがとうございました。送別会はあの、別にしなくてもいいです」と言ってお辞儀をすると、同僚たちの顔に少しだけ哀れんだような表情が浮かびました。

「あっ、つ！」と一人の同僚が、流しのなかに短くなりすぎた煙草をあわてて投げ入れました。「うわっ、指、やけどしたかも」「ちょっ、だいじょうぶ？」「早く早く水で冷やして」彼女たちの興味は、やけどをした同僚にうつっていました。にぎやかな声を背に私は給湯室をあとにしました。

慶一郎さんの実家のそばのマンションで新婚生活がスタートしました。

「里美ちゃんはほかの女の人みたいにぼくに指図をしないし、テキパキしていないから好き」「里美ちゃんのぷよぷよしたおなかを触っているとなんだか落ち着く」「ソファに寝転がってマンガを読んでいる里美ちゃんを見ると、幸せな気持ちになるよ」

他人が聞いたら歯の浮くような言葉かもしれませんが、それでも、私はしあわせでした。食事づくりも洗濯も掃除も、私はちっとも得意ではなかったけれど、最低限のことだけやっておけば、文句は言われませんでした。時々、「よそったばかりのごはんが熱い」とか、「お気に入りのワイシャツがクリーニング屋から戻ってきていない」といった小さなことで慶一郎さんがキレることはありましたが、学校でいじめられたり、会社で罵倒《ばとう》されていたことに比べれば、私には小さなことでした。それさえ我慢すれば、慶一郎さんが仕事に出かけたあとは、好きなだけ自分の好きなマンガやアニメの世界に入り込むことができました。慶一郎さんはマンガにもアニメにもまったく興味はないみたいなのに、私のことをバカにしたり、気持ち悪がったりもしませんでした。クリスマスに私が探していたDVDをプレゼントしてくれたり、同人誌を買いに行くのにつきあってくれたりもするやさしいだんなさんでした。

食器を片づけていると、電話が鳴りました。マチコさんからでした。マチコさんは「あ、里美ちゃん。今日、病院行ってきた？」

私がクリニックに行く日をカレンダーにつけているのです。

「あの……、ダメでした」少し悲しそうな風を装《よそお》って答えました。

「そう……。残念だったわね。でもね、二回くらいであきらめちゃダメなのよ。私の知り合いの娘さんでね、六回目のチャレンジで妊娠した人もいるの。あら、お金のことはなーんにも心配いらないんだからね。里美ちゃん、運動は嫌いみたいだけど、今度、私と一緒に川沿いをウォーキングしない？　これからの季節は、気持ちがいいわよー。あとね、不妊には鍼《はり》もいいんですって。隣町にいい先生がいるらしいから、今度私と行きましょうよ。その前にデパートに寄らない？　シルクの下着が冷えにいいらしいからね。私が買ってあげる。これから暑くなっても、冷たい麦茶なんかガブガブ飲んじゃだめなのよ。熱いお茶を……あ、でも緑茶は体を冷やすから不妊にはよくないんだからね。ほうじ茶とかにしておきなさいね」

マチコさんの会話は早すぎて、私は「はい」とか「そうですね」という相づちを打つのがやっとです。声も大きくて、マチコさんと話すときには受話器を少し耳から離します。マチコさんが不妊、という言葉を口にするたびに、あぁそれは私のことなんだと思ってしまいます。でぶ、ぶす、とろい、と言われるとすぐに自分のことだとわかるのに、不妊という言葉はいまひとつピンとこないのです。でも、今後はそこに不妊も加わるんですね。でぶで、ぶすで、とろくて、不妊な私。

マチコさんがこんなに一生懸命になっているのに、私や慶一郎さんが子どもはそんなに欲しくない、と思っていることも少しだけ申し訳ない気持ちになります。私は時計を見ながら、マチコさんの会話に相づちを打ち続けます。あぁ、アニメ専門チャンネルで見たい番組が始まってしまう。永遠に続くような気がするマチコさんの会話を私のほうから止めることは怖くてできません。一時間ほど会話が続いたあと、「里美ちゃんは私の娘なんだからね。私のこと本当のお母さんだと思ってもっと甘えなくちゃだめなのよ」と言ってマチコさんが電話を切りました。マチコさんはよくこう言ってくれるのですが、お母さんに甘えた記憶がないので、私はどうしたらいいのかよくわかりません。こういうとき、本当の親子なら「見たいアニメがあるから電話切っていい？」と言ってもいいのでしょうか？　受話器を置いたあとに、ふ――――っと長いため息が出ました。マチコさんは優しくて私によくしてくれるのに、長いこと話していると、私はとてもぐったりしてしまうのです。

そーっと慶一郎さんの部屋をのぞくと、ベッドサイドのランプを灯したまま、布団《ふとん》もかけずに寝息を立てていました。目の下にうっすらとできたクマが童顔の慶一郎さんを、人生に疲れ切った中年男性のように見せていました。お仕事、本当に大変なんだろうなぁと思います。広くて丸い額も、薄い唇も、慶一郎さんとマチコさんは本当によく似ています。もし、私が子どもを産んだら、マチコさんと慶一郎さんによく似た子どもが生まれるような気がします。ライトがまぶしいのか、慶一郎さんが反対側に顔を背けました。慶一郎さんの左側の首筋には、耳たぶの下から鎖骨に向かって斜めに十センチくらいの傷跡があります。「ここケガをしたの？」と聞いたことがありますが、「ぼくも里美ちゃんと同じ、いじめられっ子だったから」と言うだけで、そのときのことはあまりくわしく話してはくれません。私がいじめられていたときのことを話すと、慶一郎さんは私の頭をなでながら、「ぼくが今、そいつらが不幸になるようにのろってあげたからだいじょうぶ」と言ってくれます。うれしいけれど、毎日こんなに疲れて帰ってくる慶一郎さんに人をのろうような力はないだろうなと思ってしまいます。

結婚当初から「同じベッドだとゆっくり眠れないから」と慶一郎さんが言うので、私たちは別々の部屋に寝ています。週末の夜になると慶一郎さんは私の部屋に来てセックスをします。ついばむようなキスをして、乳首をつまんで、クリトリスをなで回したあと、慶一郎さんは横になったまま後背位で挿入し、腰を前後に二、三回動かしたままいってしまいます。私は声も出さず、感じることもありません。慶一郎さんの精子は人よりも少なくて元気もない、とクリニックの先生は言っていましたが、それは慶一郎さんのセックスの淡泊さと関係があるのでしょうか。後世に遺伝子を残すなんていう大仕事は、慶一郎さんにはそもそも無理なんじゃないでしょうか。慶一郎さんとのセックスには不満はまったくないのですが、ときおり、自分の体ごと食べられてしまうんじゃないかと思うような、大学時代のボーイフレンドとの荒々しいセックスをなつかしく思い出してしまうこともあるのです。


土曜日、遅めの昼食の準備をしていると、玄関のチャイムが鳴りました。モニターで確認すると、鮮やかなピンク色のツーピースを着たマチコさんが立っていました。

「市役所前の広場でやってる朝市に行ってきたの。とれたての新鮮なお野菜よ。今すぐ食べなさい」と、マチコさんが重そうな紙袋をキッチンの床に置きました。大根の葉についていた泥がフローリングの床に落ちました。

「これからお昼なの？　ずいぶん遅いのねー」

「私も慶一郎さんも今日は寝坊してしまって……」

「あらー、おいしそうなサンドイッチ」と言いながら、マチコさんが指でパンの端をめくって中身を確かめました。

「でも、野菜が足りないわね。ちょっと待ってて。里美ちゃんは座ってテレビでも見てなさい」そう言うと、カバンの中からエプロンを取り出し、泥のついた野菜を流しで洗い始めました。

テーブルの上のサンドイッチが乾燥してしまうので、私はあわててラップをかぶせました。キッチンに立つマチコさんが鼻歌を歌っています。嵐《あらし》のようにやってきたマチコさんの大きな背中を見つめて何も言えずに立ちつくしていましたが、仕方がないので、リビングのソファに座り、落ち着かない気持ちでテレビを見つめていました。

「できたわよー」マチコさんが大きな声で歌うように言うと、慶一郎さんが寝ぼけた顔で部屋に入ってきました。

「なんか、なつかしい匂《にお》いがすると思った」と言いながら、色のあせたトレーナーの裾《すそ》から手を入れて、おなかをぼりぼり掻《か》いています。

「なあに今頃起きてきて。早く顔を洗ってきなさい」と言うマチコさんはうれしそうでした。ダイニングテーブルの上に湯気のたった野菜スープと大根サラダがのっています。

いつも、起き抜けはコーヒーだけでいいから、という慶一郎さんですが、今日は「うまい、うまい」と言いながらスープを口に運んでいます。私の作ったサンドイッチには、マチコさんも慶一郎さんもあまり手をつけてくれないのですが、確かにマチコさんが作ったスープとサラダのほうがおいしいので仕方がないですね。

「あ、そうだわ。いいものを持ってきたのよ」と言いながら、カバンの中から箱を取り出しました。

「卵酢《らんず》っていうのよ。烏骨鶏《うこっけい》の卵をお酢に漬けた健康食品なの。私の知り合いの娘さんがね、これを飲み続けて妊娠したんですって。里美ちゃんにもどうかなーって思って」と言いながら、マチコさんは瓶を開け、箱の中に入っていたプラスチックの小さな容器に、カフェオレのような色をした卵酢をつぎ始めました。

「少しだけでいいんだからね。ほら飲んでごらん」とマチコさんが強くすすめるので、私はその液体を一気に飲み干しました。意外にもお酢のすっぱみはなかったけれど、独特の風味が舌の上に広がって、あわてて紅茶を口にふくみました。

「ね。体にいいんだから、毎日飲みなさいね」と言いながら、さらにマチコさんはカバンの中からタッパーウエアをいくつか取り出しました。中には、ひじきやお豆の煮物、れんこんのきんぴらなどが入っていました。

「里美ちゃんもねぇ、お母様が生きていたらねぇ。思春期にしっかりこういうものを食べておけば……」

マチコさんの言葉がちくんと胸にささりました。

今日のマチコさんは、いつにも増して迫力がありました。私の体のことを言っているのかな。食べておけば妊娠できたのに、という意味なのかな。いつものように途切れることのないマチコさんの話を聞いていると、どうやら、マチコさんの仲の良いお友だちの娘さんが二十歳そこそこで、できちゃった結婚をしたようなのです。マチコさんの話は、そのお友だちの話から始まり、どこの幼稚園に優秀な先生がいるのか、いまどきの小学校受験がいかに大変かなど、話があちらこちらに飛びながらも、最終的にはそのお友だちにお孫さんができたことがとてもショックだったようです。私はあいまいに相づちを打っていましたが、

「……と思うのよ」とマチコさんが急に話を止めて、私の手を握ったので、驚いて顔を上げました。私のぼんやりした顔を見て、マチコさんがもう一度言いました。

「体外受精をしたほうがいいと思うのよ。あなたたち、お金のこと心配しているんでしょ。何にも心配いらないのよ。お父さんが残してくれたものもあるし、自分の孫のために使うんだったら、天国のお父さんだって反対はしないと思うわ。がんばって、

何回でもチャレンジしてみましょうよ。野良犬《のら》みたいなどうしようもない両親の子どもがたくさん増えるより、あなたたちみたいな優秀な遺伝子を残すべきだと私は思うわ。里美ちゃんだって、三十歳になる前にお母さんになったほうがいいと思うのよ。若くてきれいなお母さんのほうが子どもだってうれしいもの」

慶一郎さんはいつの間にか、リビングのソファで横になって新聞を読んでいました。マチコさんの話は聞こえているはずですが、慶一郎さんは何も言いません。胸がドキドキしましたが、「私たちまだ子どもは」と私が言いかけると、マチコさんが私の手を握ったまま、さっきよりも大きな声を張り上げました。

「昔はね、三年子なしは去れって言われたものよ。こんなこと言いたくないけれど、本当だったら、結婚前に里美ちゃんの体を病院でちゃんと検査してもらえばよかったのよ。そうしたら、こんなに……」

マチコさんのよく通る大きな声が、私の鼓膜を震わせました。マチコさんが鼻をすすり始めたので、慶一郎さんが驚いて新聞から顔を上げました。何か言ってくれればいいのに、と思いましたが、一瞬顔を上げただけで、すぐに新聞に視線を戻してしまいました。マチコさんが、色つきレンズの入った老眼鏡を外し、大きな体をテーブルの上に突っ伏して本格的に泣き始めました。あぁ面倒くさい、という声が私のなかからわき起こって、私はあわててその声を胸の底にしまいこみました。こんな状況を上手に収める能力は私にはないので、今すぐ、この部屋を飛び出したい衝動にもかられましたが、出て行ったところで、私には帰る場所もありません。マチコさんの大きな泣き声が、お隣にも聞こえているのではないかと、心配になりました。いつまでたってもマチコさんが泣きやまないので、本心ではありませんでしたが、そう言わないとこの場はおさまらないだろうと思って、「マチコさんごめんなさい」と言いながらマチコさんの背中をさすりました。

涙でお化粧がぐしゃぐしゃになった顔を上げ、

「じゃあ、やってくれるわね体外受精」とマチコさんが笑顔で言いました。

キッチンの流しのほうで水が一滴落ちる音がしました。

体外受精のための準備が始まりました。

同じ不妊治療でも人工授精と体外受精では本気度が違うということが、私にもすぐにわかりました。私の卵巣《らんそう》の中のよい卵を育てるために、毎日続く筋肉注射。注射をするときの痛みもつらかったのですが、注射をしたあともおなかの鈍痛と吐き気がひどく、寝ているとマチコさんが食事を作って届けてくれました。私が青い顔をして横

になっていると、

「こんなに大変な目にあっているんだもの。きっとだいじょうぶよ」とマチコさんはなんだかうれしそうに言うのでした。卵子を包む袋が十分に成長したら、膣《ちつ》の中から卵巣に針を刺してその袋ごと吸引するのです。針を刺す、というドクターの説明を聞いているだけで私は倒れそうになりました。すべての作業が静かに、そして淡々と進んでいきました。人工的に育てた私の卵子と慶一郎さんがクリニックでマスターベーションをして出した精子は、培養容器の中で何事もなく受精し、細胞分裂を始めました。その二日後、受精卵を私の子宮の中に戻す日には、マチコさんもクリニックにやってきました。処置室に入る前に、「何にも心配ないのよ」とマチコさんがお守りを渡してくれました。私は行ったことがありませんが、この街のはずれに子守の神様をまつった神社があるのだそうです。

受精卵を子宮のなかに戻したあとも、私はホルモン剤を飲み続けました。本当に妊娠しているのかどうか、結果がわかるまでは二週間ほどかかるのですが、マチコさんはまるでもう孫ができたかのように、可愛《かわい》いベビー服を見つけては、手作りのおかずとともに上機嫌でわが家に持ってくるようになりました。

一回目の体外受精は失敗でした。そして、二回目も。三回目の体外受精は受精したものの、受精卵の分割が、つまり、細胞分裂が途中でストップしてしまったのだそうです。やっぱり私と慶一郎さんの受精卵はどこかひ弱なのでしょうか。私と慶一郎さんとの子どもは世の中に生まれるべきではないと、神さまが判断したのでしょうか。

クリニックで結果を聞かされたその日は、夏の終わりにやってきた大型台風の影響で、マンションの前を流れる川の水位が急激に上がり、聞くだけで不安をかき立てるようなサイレンの音が、日没を過ぎても町中に鳴り響いていました。「結果がわかったらすぐに電話をしてね」とマチコさんから言われていたのですが、何度か受話器を手に持ったものの、私一人ではどうしても結果をマチコさんに伝える勇気がなくて、慶一郎さんの帰りを待ちました。本当は慶一郎さんに電話をして欲しかったのですが、夜遅くに帰ってきた慶一郎さんは、仕事でなにかトラブルがあったのか、とても不機嫌で、結局頼むことはできませんでした。

「また失敗してしまいました」そう伝えると電話がぶつっと切れ、しばらくするとマチコさんがずぶ濡《ぬ》れになってマンションにやってきました。強い風にあおられたのか、マチコさんが手にしているピンクの花柄の傘は骨が折れて、ひどくゆがんでいました。うぐいす色のつやつやしたレインコートを着たままのマチコさんが私を突き飛ばす勢いで部屋に上がってきたので、私は廊下を後ろ向きに歩かなければなりませんでした。

「ねぇどうしてできないの」レインコートから雨をしたたらせたまま、マチコさんが私に向かって怒鳴りました。

「私はあなたとの結婚に反対したのに。慶一郎がどうしてもって言うから。ご両親のいないあなたの事情だって、私はずっと目をつぶってきたのに」興奮しているマチコさんの目は泣いていないのに真っ赤でした。

「事情って……」

「お金を出せばなんだってできるのよ。あなたのことも調べればすぐにわかるの。なんでも、なんでもよ。あなたが学生時代にどれだけ不純異性交遊をしていたかも私は全部知っているのよ」ヤリマンと言われたことはありますが、不純異性交遊と言われたのは初めてでした。

「それでも慶一郎はあなたと結婚したいと言うし、慶一郎の子どもを生んでくれるのなら、あなたがどんな女だっていいと思っていた。私はただ孫が欲しいだけなのよ。単純なことよ。なんでそれが私にはかなわないの」と絶叫するように言うと、ひ――っという喉《のど》の奥から絞り出すような音がして、マチコさんはハンカチを目にあてて泣き始めました。

「赤ちゃんができないのは私のせいだけじゃありません」

初めてマチコさんに口答えをしました。小さな声でそう言い返すのがやっとで、自分でも声が震えているのがわかりました。

「どういうこと？」マチコさんが私をにらみ返しました。

「慶一郎さんの体にも原因が……」それでも、どうしても慶一郎さんの精子が少ないとか、セックスの回数が少ないからと、言葉にすることができませんでした。

「ばかなこと言わないで！　あなたを食べさせるために、慶一郎はこんなに疲れるまで一生懸命働いているじゃない。あなたが毎日の食事にもっと気をつかえば、慶一郎の体調だって整うはずでしょ。私はね、この子を産んでから、あなたと結婚するまで、愛情をかけて宝物のように育ててきたの。あなたは仕事もせずにふらふらして、料理だってろくにできやしない。それに、子ども一人産めないなんて。世の中には共働きで、家事だって全部自分でこなしながら、子どもを何人も育てる人だっているのよ。慶一郎はあなたにだまされたのよ。あなたなんてとんだ外れクジよ」

マチコさんが大声で何かを言うたびに、安っぽいドラマのなかに自分が取り込まれたようで体の力が抜けていきました。大事に育てた息子を、家事も何もできない、そして妊娠すらできない嫁にとられた可哀想《かわいそう》な自分。マチコさんにはマチコさんのものがたりがあって、マチコさんが主人公、私は悪役なんですね。それなら、私にとってマチコさんはゲームの最後に出てくる最強の敵、ラスボスのようなものかもしれません。ラスボスのマチコさんを倒したら、この結婚も、私の人生も、ゲームみたいにエンディングを迎えるのかなぁと私の頭はぼんやりとおかしなことを考えていました。慶一郎さんはソファに座ったまま、視線を床に落として身動きひとつしませんでした。この人も私の敵なのかなぁ。でも、この人なら私でもすぐに倒せるような気がする。

「あなたがもっとがんばらないからよ」

マチコさんの罵倒《ばとう》は続いていました。小学校のころから、逆上がりも家庭科のボタンつけもすぐにはできなくて、できるようになるまで人の倍以上時間がかかりました。がんばってもみんなと同じようにすぐには動かない私の指や体。放課後の教室や校庭で先生やクラスメートに見守られながら、「がんばれがんばれ」と見当違いに励まされたつらい時間を思い出しました。がんばれと言われて妊娠できるわけではないのになぁ。

さっきよりも雨と風が強くなってきたようで、ときおり、強風でリビングのサッシにたたきつけられた雨がビシッという耳障《みみざわ》りな音を立てました。怒鳴り続けるマチコさんと、何も言わずに動かない慶一郎さんをリビングに残して、私は自分の部屋に駆け込み、カギをかけました。マチコさんがどすどすと大きな体で私を追いかけて、ドアノブを乱暴に回しドアを叩《たた》いています。「ここを開けなさい」というマチコさんの大声に私は耳を両手でふさぎました。マチコさんなのか、慶一郎さんなのか、ドアに体当たりをしているような音も聞こえてきます。ドアに向かって「ごめんなさい。少し休ませて」それだけ言うのがやっとでした。しばらく間があって、「里美ちゃん、変なこと考えちゃだめなのよ」というマチコさんの声がしました。罵倒されたり、変なことを考えちゃだめだと言われたり。いったい私はどうすればいいんでしょうか?

しばらくの間、気絶するように眠ってしまったようです。布団《ふとん》にもぐりこんで汗をかいてしまったので、シャツを替えようと、クローゼットを開けると、ハンガーにかかったままの「魔法少女マジカル★リリカ」のコスプレ衣装が目に入りました。大好きなアニメキャラで、猫耳のついたウイッグ、魔法のスティックとともに保存用に買ったものでした。ふと思いついて、私は汗で湿った洋服を脱ぎ捨てて、リリカの衣装を身につけてみました。セーラー服をアレンジした衣装は驚くほどスカートが短くて、太もものあたりがすーすーしました。フリーサイズなのに、ウエストがきつくて無理に止めたホックが外れそうでした。猫耳のついたウイッグをかぶって私は姿見の前に立ちました。あぁ、リリカはこんなに疲れた主婦みたいな顔をしていちゃダメだ。私は持っているメイク用品をすべて床に並べて、丹念にメイクを始めました。ふだんはめったに使わないファンデーションを丁寧に塗り込んで、マスカラでまつげを濃く長くして、唇はグロスでつやつやに、最後に頬紅をほっぺたの中心にふんわりとのせました。私はもう一度、姿見の前に立ちました。でぶで、ぶすで、ばかで、不妊の主婦、里美じゃなくて、遠目に見れば、ちょっぴり小太りのリリカが立っていました。

川の水位が上がったのでしょうか、真夜中だというのにまた、サイレンの音が鳴り響きました。魔法のスティックを持って「パラレルプリンセスバージョンアップ！」とリリカが普通の女子高生から魔法少女リリカに変身するときの決めゼリフを小さな声で鏡に向かって叫んでみました。リリカがこの魔法の言葉をとなえれば、どんな願いだって叶《かな》うのです。マチコさんも慶一郎さんも私にやさしい言葉だけかけてくれればいい。痛い不妊治療なんてやりたくない。私をいじめる人がたくさんいる社会には出たくない。最低限の家事だけやって、あとは自分の好きなことだけして生きていきたい。

魔法の言葉を口にするたびに、私の下腹に力が漲《みなぎ》ってくるような気がしました。死にかけた怪獣の叫び声のようなサイレンがまた鳴り始めました。このまま川が氾濫《はんらん》して洪水になって、私をいじめた人たち全員が濁流に流されてしまえばいいと思いました。マチコさんも、そして、慶一郎さんも。

私はうっすらと窓の外が明るくなるまで、リリカのコスプレを着て、決めポーズを鏡の前で練習し続けました。


慶一郎さんとマチコさんとの間でどんな話があったのか、あの日以来、マチコさんが頻繁に家に来ることはなくなりました。時々電話がかかってきましたが、日常的な用件ばかりで、妊娠とか、子ども、という言葉がマチコさんの口から出ることはありませんでした。私と慶一郎さんとの生活も今までどおりの日々が続いていました。慶一郎さんの仕事はますます忙しくなり、日にちが変わってから家に帰る日も多くなりました。マチコさんから私を守ってくれなかった慶一郎さんには思うところもあったのですが、それでも、私をこの家から追い出そうとしない慶一郎さんには、感謝の気持ちを感じてもいました。リリカの魔法の言葉が叶えてくれたのかもしれません。最低限の家事だけしておけば、あとはいくらでもアニメやマンガの世界に夢中になれる生活が戻ってきました。

私は自分の好きなキャラのコスプレ衣装を作るようになりました。市販されているものは私には細すぎてサイズが合わなかったからです。不器用な私にとって、ミシンを使いこなすのは、とても大変なことでしたが、ネットの掲示板で知り合ったお友だちが助けてくれたし、どれだけ時間がかかっても先生や上司に怒られることもないし、多少出来が悪くても自分でコスプレ衣装を手作りするのは、私にとってとても楽しい時間でした。

「魔法少女マジカル★リリカ」に出てくる三人の魔法少女の衣装を作ったあと、去年のコミケで知り合ったお友だち、くるみちゃんに頼まれて、リリカに出てくる物理の先生、そして、魔法使いでもある、むらまささまの衣装を作ることになりました。男の子みたいに痩《や》せていて背の高いくるみちゃんなら、むらまささまのコスプレはきっと似合う。紫色のつやつやしたサテンの生地を買ってきて、むらまささまの衣装を作り始めました。夢中になってミシンを動かしていると、慶一郎さんが帰って来ました。慶一郎さんは私がコスプレ用の衣装を作っていることを知っていましたが、今までどおり私がやっていることには何も言いませんでした。

私がボタンホールを作るのに苦労していると、

「ちょっと貸してみて」と慶一郎さんがまたたく間にミシンをかけ、「つ」の字の形をしたリッパーという器具で穴を開けて、四つのきれいなボタンホールを作ってくれました。

「うわ、すごーい。なんでそんなにすぐにできるの？」

「大学のとき、少しだけ演劇サークルにいたんだ。衣装なんか自分たちで作っていたからね。ミシンも裁縫もひととおりできるんだ」と少し自慢げに教えてくれました。慶一郎さんを心から尊敬したのは、これが初めてかもしれません。演劇サークルにいたことも私は初めて知りました。慶一郎さんのことを何も知らないのは、慶一郎さんがそれほど話好きではないから、と思っていましたが、私から聞かないのもいけないですね。私が知らなかった慶一郎さんの一面が見られたのがうれしくて思わず、

「慶一郎さん。これ着てみて」と言ってしまいました。

「やだ。なんで」と言っていた慶一郎さんでしたが、「お願い。一回でいいから。ね」と、私がしつこく頼むと、スーツの上着を脱いで、できたばかりのむらまささまの衣装を羽織ってくれました。少し小太りで、背が低くて、猫背で、顔色が悪く、目の下に濃いクマを作った慶一郎さんにその衣装はぜんぜん似合いませんでした。

当たり前です。慶一郎さんは私を食べさせるために、つらい仕事も我慢してやってくれているんです。そんなことを言ったら罰があたります。だけど。照明の下ではっきり浮かび上がった、慶一郎さんのかすかな老いの気配に私は少し怖くなりました。自分より先に、日々少しずつ老いていく命を目の前にしながら、私はこの結婚生活を

続けていくことができるのかな。そして、私も、慶一郎さんを追いかけるように老いていくのです。私の胸にほんの小さな穴が開いて、冷たい風が一瞬強く吹いたような気がしました。

私のがっかりした顔に気づいたのか、慶一郎さんは乱暴に衣装を脱いで、「なんで着せるんだよ、こんなもの。おれに似合うわけないだろ」と言いながら、自分の部屋に行ってしまいました。

「あんず、ちょっ、ちょっとあの子」コミケで斉藤くんを最初に見つけたのは、くるみちゃんでした。くるみちゃんが指さした先には、白いTシャツにジーンズ、コンバースの緑色のスニーカーをはいた斉藤くんが場違いな場所に来てしまったという顔をしながらぼんやり立っていました。背が高くてやせっぽちな斉藤くんは特別にルックスがいい、というわけではありませんでしたが、いかにもメイク映えしそうな顔立ちをしていました。

「あの子に着せてみたい、この衣装」くるみちゃんは自分が着ているむらまささまの衣装の衿《えり》をつまんで言いました。男の子に自分から声をかけたことなんて今まで一度もありませんでしたが、その日はくるみちゃんも一緒にいたし、リリカのコスプレをしていて、たくさんの人に写真を撮られて、気が大きくなっていたのかもしれません。コスプレ姿の私とくるみちゃんにいきなり声をかけられて、おどおどしながらも、斉藤くんはメアドを教えてくれました。

何度かメールのやりとりをして、同じ市内に住んでいることがわかって、「コスプレして写真を撮らせてくれるだけでいいんだけど」と誘ってみると、斉藤くんはすぐにこのマンションにやってきました。まるで、女子高生を騙《だま》してヌード写真を撮ってしまう中年のいやらしいカメラマンのようなやりくちで。でも、私のしていることはもっと最低でした。私を押し倒したのは斉藤くんですが、そう仕向けたのは私です。

生まれて初めてセックスをする斉藤くんはガタガタと震えていました。そんな彼に向かって「私の書く台本どおりにセックスしてほしい」と言ったのは私です。斉藤くんは嫌がらずに私の作った衣装をつけて、私の書いた台本を覚えてきてくれました。私がしたいようにセックスしているのですから、気持ちがよくないわけがありません。斉藤くんとのセックスが終わったあとは、いつも罪悪感でいっぱいで、パパが私におこづかいをくれたときのように、小さく折りたたんだ一万円札を斉藤くんの手のひらに握らせてしまうのでした。

不思議なことですが、斉藤くんの体からはいつもミルクのような赤ちゃんのようなにおいがしました。それは彼が生まれたてで若いからなのでしょうか。斉藤くんは子どもだし、セックスだって下手だけど、大学時代のボーイフレンドたちのように、私の体を乱暴に扱うことは絶対にありませんでした。人の体にやさしく触れるということに生まれつきの才能があるとするなら、斉藤くんはもしかしたら天才なのかもしれないと思いました。騎乗位で私が斉藤くんの上に乗っかっているときでした。私の腰骨のあたりに手を添えた斉藤くんが急に「ここ冷えてる」と言いました。え、と私が動きをとめると、

「冷やしちゃだめなんだここ。女の人は」

マチコさんがいつも私に言っていたようなことを言いました。

「なんでそんなこと知ってるの？」と私が聞くと、「おふくろが」と言いかけた斉藤くんの顔がみるみるうちに真っ赤になりました。セックスの最中に思わず、お母さんのことを口にしてしまったことが恥ずかしかったのでしょうか。私はそんな斉藤くんがかわいくて、笑いながら再び腰を激しく動かしました。

「あんずが笑うとなかが響くから」

そんなことを言いながら私の中で果てて、息を荒げている斉藤くんの、しみも、しわもない白い首すじをそっとかんでみました。斉藤くんは多分私よりもずっとばかだ

けど、日本の都道府県だって全部言えないくらいばかだと思うけれど、そんなこと言ってる私も日本の都道府県ぜんぶ言える自信はないけど、もし無人島に流れ着いても斉藤くんと二人ならなんとかなるような気がする。私は慶一郎さんのごはんを作っているときでもそんなことを考えてしまうようになりました。

慶一郎さんの仕事は以前よりももっと忙しくなり、会話をかわすのは朝食を食べるときだけ、という日々が続いていました。慶一郎さんがセックスをしに私の部屋にやってくるのは、一月に一回程度になりました。仕事で疲れているせいなのか、私が深く眠っていても、いきなり下着をずらして私の中に入ってくるようになりました。今まで、そんなことをされても慶一郎さんに食べさせてもらっているのだから仕方がないと思って我慢していました。でも、その日は、接待でお酒をたくさん飲んできたのか、慶一郎さんの体からは最終電車に乗っているおじさんのようななまぐさいにおいがしました。慶一郎さんはなかなかいけないのか、カサカサに乾いた私のなかを何度も往復しました。セックスの最中に悲しくなることなんてなかったけれど、ひりひりしたところが痛くて、私は本当に涙が出そうになって「やめて」と私の背中に張りついた慶一郎さんの体をひじで押してしまいました。

「なんでだよ!」慶一郎さんが私の髪の毛をひっぱりました。

「痛いから今日はもうやめて」と言うと、慶一郎さんが小さな舌打ちをしました。
「シーツのここ、濡《ぬ》れてて気持ち悪いんだよ。だから、気になって」
「ごめんなさい。さっき寝る前にコップの水をこぼしてしまったから」（もちろん嘘《うそ》です）
「一日中家にいるんだからそれくらいちゃんとしろよ」と吐き捨てるように言いながら、もう一回大きな舌打ちをして慶一郎さんが部屋を出ていきました。

斉藤くんが家に来る回数がだんだん増えてきました。

私の部屋で斉藤くんとセックスをしているとき、玄関のチャイムが鳴りました。もう少しでいけるところだったのに。私は斉藤くんの体から離れ、ため息をついてベッドにあおむけにひっくり返りました。斉藤くんが私の顔を見たので、くちびるにひとさし指をあてて、声を出さずにシーッという顔をして見せました。外廊下に面している私の部屋の窓から、

「里美ちゃんいないのー」というマチコさんの声がしました。何をするつもりなのか、窓を指でトントンと叩《たた》いたり、窓にはまっている面格子《めんごうし》をガタガタ揺らしながら、

「おかしいわねー」とマチコさんがわざとらしく声に出して言いました。耳をそばだ

ていると、しばらくたってから、マチコさんは窓のそばから離れ、玄関のチャイムを何回も鳴らし、玄関のドアノブをがちゃがちゃ回して帰って行きました。

それからしばらくたって、お料理ブログを書いている木村さんとエレベーターでいっしょになりました。

「最近よくいらっしゃってるの、弟さんですか？」と木村さんが笑いながら言いました。私が黙っていると、

「岡本さんのお隣の藤村さんと、うちの娘、同じ幼稚園に通っているんですよぉ。岡本さんのお宅によくいらっしゃってる高校生くらいの弟さんがかっこいいのよーって、よく私に話してくれるもんだから」と木村さんが言い終わらないうちにエレベーターが一階に到着しました。扉が開くと、幼稚園のバスを待つ若いお母さんたちの視線すべてが私に集まったような気がしました。木村さんはいつものようにお母さんの集団に自然に溶け込んでいき、私がその集団の前を足早に通りすぎると、ひそひそ声がひたひたと私を追いかけてきました。

こんな日々が長く続くわけはないと思ってはいましたが、その日は予想よりも早くやって来ました。もうこんなことは早くやめないといけない。私のやっていることは立派な犯罪です。わかってはいたけれど、斉藤くんと離れるのは寂しかったのです。

斉藤くんが突然この部屋に来ないと言って玄関から出て行ったあと、ベッドの上でしばらく呆然《ぼうぜん》としていた私は、斉藤くんを追いかけようとしました。

一階まで下りたエレベーターが再び七階まで上がってきて、お隣の藤村さんと娘さんが下りてきました。藤村さんは目を丸くして私を見つめています。娘さんが私を指さして「あ、ママ、リリカだ！」と大きな声で言いました。いつまでも私を見つめる娘さんの腕を無理矢理に引っ張って、藤村さん親子は家の中に入っていきました。エレベーターの扉は閉まり、再び下がっていきました。ふと足もとを見ると、私は靴を履いていなくて、白いニーソックスの爪先《つまさき》がひどく汚れているのが見えました。

斉藤くんがここに来なくなって、二週間がたったある日の夕方。晩ご飯の買い物を終えて帰って来ると、玄関に慶一郎さんとマチコさんの靴がそろえて置いてありました。もうだいぶ日が暮れていたのですが、玄関にも廊下にも照明がついていませんでした。リビングのドアを開けると、テーブルの上につっぷして泣いている慶一郎さんと、慶一郎さんの背中をさするマチコさんが見えました。テーブルの上には慶一郎さんのノートパソコンが開かれていました。薄暗い部屋の中でパソコンのモニターだけが光っていました。画像そのものも薄暗く、目が慣れるまで、そこに何が映っているのかよくわかりませんでした。慶一郎さんの泣き声でモニターから聞こえてくる小さな音が聞き取れなかったのですが、しばらくすると「むらまささまぁぁ」という自分の声がはっきりと聞こえました。暗さに目が慣れるうちに、そこに映っているのがコスプレをした私と斉藤くんだということが認識できました。私の右手からショッピングバッグが落ちて、フローリングの床の上にたまねぎが転がっていきました。

「子どもがいないから」マチコさんが小さな声でいいました。真っ暗な部屋の中でモニターに流れる画像の光が、マチコさんの顔を照らしていました。

「子どもがいないからこんなことになるのよねぇ。女はね、時間を持て余してしまうとろくなことをしないものなの。あなたの様子がどうもおかしいって、ずいぶん前から慶一郎が隠しカメラを置いたのよ。あなた、何にも気づかなかったの？」私は首を横にふりました。

「今、慶一郎とも話したのよ。慶一郎はこんな目に会ってもあなたとは別れないというの。それなら、どんな方法でもいいから子どもを作らないといけないわねって。人工授精も体外受精もだめなら、次の方法を考えないとね……。私があなたたちの子どもを産んであげられればいいのにねぇ」

大きなおなかをしたマチコさんの姿を想像して、体中の皮膚がぞわぞわと粟立《あわだ》ち、胃の底から強い吐き気がこみ上げてきました。人類補完計画だろうと人体錬成だろうとヒューマノイド・インターフェイスだろうと、どんな荒唐無稽《こうとうむけい》な話でも、アニメやマンガの世界なら許せる。だけど、マチコさんが、私と慶一郎さんの子どもを産むのは絶対に、絶対に、どんなことがあってもいや。私は高校生にコスプレをさせて自分の思い通りにセックスをさせている変態主婦だけど、それだけは受け入れることができませんでした。

「ごめんなさいお母さん。離婚させてください」この姿勢が正しいのかどうかわからなかったけれど、生まれて初めて土下座をしました。結婚してから、マチコさんをお母さんと呼んだのもこれが初めてでした。

「アメリカにね、いい病院があるのよー。むこうで代理母を探すのもね、こちらのコーディネータがぜーんぶやってくれるの。英語がしゃべれなくたってだいじょうぶなのよ。まずはね、検査のためにみんなで一度行きましょうよ。アメリカにね。お金のことはなんにも心配しなくていいのよ」私の土下座を無視して、温泉旅行にでも行きましょという口調でマチコさんが言いました。

「あなたはお産で痛い思いをすることがないのよ。こんな楽なことないじゃない。産んだあとのことだってなーんにも心配いらないの。子どもは私が育ててあげるんだから。あなたは寝転がって、好きなマンガでも読んでいればいいのよ。まぁ、こういうことされるのは困るけどねぇ」

「いってしまいますぅ」という私の声がモニターから聞こえてきました。マチコさんはちらっと画面に目をやり、眉間《みけん》に深いシワを寄せ、大きなため息をつきました。ひくっと声がして、テーブルにつっぷしたままの慶一郎さんがしゃくりあげました。マチコさんが子どもを寝かしつけるように、慶一郎さんの背中をとんとんとやさしくたたきました。

「この子はねぇ、ほんとうにやさしい子なのよー。あなたもそう思うでしょ。だって、やさしい子になってほしくて、そうなるように私が育てたんですもの。だけどね、学校に入ってから、ひどくいじめられて。この世の中、やさしいだけじゃだめなのよね。ほら、ここに傷があるでしょ。あら、聞いてない？　あなたにな一んにも話してないのねぇ。中学生のとき、この子、ナイフでここ切って自殺しようとして。あのときはびっくりしたわぁ。朝起こしに行ったらベッドが血だらけでね。一人っ子だしこの子が死んだらどうするんだって、主人にひどく責められたのよ。この子はね、やさしいし、頭もいいけれど、とても弱い子なの。私も反省したわ。私の子育てが間違ってたんじゃないかってね。……でも、もうだいじょうぶよ。あなたと慶一郎の子どもの子育てては絶対に失敗しないと思うの。二回目だもの。今度こそ絶対にうまくやるわ」

私はもう一度、フローリングの床におでこをこすりつけていいました。

「お願いします。離婚してください。私、ここを出ていきますから」

突然、テーブルにつっぷしていた慶一郎さんが顔を上げました。

「ぼくは絶対に里美ちゃんと別れない。離婚するならここにある写真も動画も全部ばらまいてやる。こいつの家にも学校にも。世界中にばらまいてやるから」

くらやみのなかで、モニターから放たれた光が涙と鼻水でぐちゃぐちゃになった慶一郎さんの顔を照らしていました。私と慶一郎さんの子どもは多分、私と慶一郎さんのようにとても弱くて、とても醜い。私はその子を愛せるのでしょうか。「むらまささま、もうだめですぅ、いきますぅ」という私の声が聞こえました。慶一郎さんの嗚《お》咽《えつ》が細く長く、私の鼓膜にこびりつくように響きました。

アメリカに行くための準備はマチコさん主導のもと、どんどん進められていきました。旅行に必要な細々としたものをそろえるため、バスに乗って隣町のショッピングセンターまででかけました。女性下着売り場のそばにベビー用品売り場がありました。赤ちゃんのための下着やベビーウエア。ベビーカーに乗った赤ちゃんのマネキンが私にほほえみかけています。向こうで代理母がスムーズに見つかれば、私は来年には自分の子どもを抱いていることになります。私には帰る実家もないし、自分で働いて食べていくこともできないのだから、マチコさんの提案はそう悪いことではないのかもしれない。マチコさんの言うとおり、おなかを痛めることもないし、子育てはマチコさんがやってくれる。今までどおりマンガやアニメに夢中になって、コスプレの衣装を作っていればいい。私はだらしなくそう思い始めていました。

目の前に赤ちゃん用の靴下が下がっていました。テレビで誰かが言っていました。赤ちゃんは親を選んで生まれてくるのだそうです。こんな私、弱い慶一郎さん、強すぎるマチコさん、そしてアメリカに住むだれかの子宮を借りて、私のもとにやってこようとしている赤ちゃんなんているのでしょうか？　私と慶一郎さんがいじめられたように、あんたがあの家に行きなさいよ、なんて、まわりから無理矢理押しつけられてここにやってくるのかもしれない。赤ちゃん用の靴下を手にとると、それはあまりにも小さくて、手のひらの中に隠れてしまいました。私はその子のことをうまく愛せないかもしれないけれど、それでもこんな靴下をはく、小さな足の裏をやさしく触ってあげたいと思いました。斉藤くんが私に触れてくれたように。

人の気配を感じてふと目をあげると、真剣な顔の斉藤くんが目の前に立っていました。久しぶりに見る斉藤くんはこの前会ったときより日に焼けて、背もなんだか伸びたような気がしました。

「子どもできたの？」と言う斉藤くんの声は震えていました。

首を横にふったあと、私はどうしていいかわからずに、靴下を元の場所に戻し、その場から立ち去りました。エスカレーターに乗ったあと、私と斉藤くんの赤ちゃんなら、私はもっともっとやさしく触れられるかもしれない。そう思ったら、いつか斉藤くんが「冷やしちゃだめなんだ」と、触れてくれた腰骨のあたりにふっと温かさを感じたような気がしました。


掛け時計やぬいぐるみの中、食器棚の上、観葉植物の鉢の中など、家中のそこかしこには、以前と変わらず慶一郎さんがセッティングした隠しカメラがあって、家の中で過ごす私を撮影していました。私は朝食の食器もそのままに、テーブルの上にノートを広げて、斉藤くんと二人で生活したら、どれくらいのお金が必要なのかを計算していました。昼間、私がパートをして、夜も働く。新聞の求人欄を見ても、私にできそうな仕事はなかなか見つかりませんでしたが、アニメやマンガを見たり、コスプレの衣装を作ったりするよりも、私はその妄想に夢中になりました。二人でどこか知らない遠い場所に行って、新しい生活を始めたっていい。斉藤くんの高校の授業料を払うための奨学金の申請の仕方や、アパートの家賃の相場、窓にかけるカーテンはどんな柄にしようか、そんな妄想にふけっていると、玄関のチャイムが鳴りました。一回押して、しばらく間があってもう一回。インターフォンに出ると、「おれです」という斉藤くんの声がしました。

ドアを開けたとき、逆光で斉藤くんの表情はよく見えなかったけれど、この前、ショッピングセンターで会ったときよりも、また背が伸びたように感じました。玄関で、立ったまま斉藤くんにキスされると、心臓は強い収縮をくり返して、私の体の末端に今にも沸騰《ふっとう》しそうな血液を送りはじめました。下腹部に集まった血液は私のクリトリスをかたくとがらせ、私のあそこは今すぐ斉藤くんが入ってくることを待ち望んでいました。早く私のなかに入れてしまわないと、頭がおかしくなってしまいそう。二人で舌をからませ、廊下に立ったまま、斉藤くんがベルトをがちゃがちゃとゆるめ、トランクスをずらし、私のなかに入ってきました。斉藤くんが突き上げるように腰を大きく何回か動かしただけで、自分でも聞いたことのないような恐ろしいような大きな声が出て、私はすぐにいってしまいました。私は斉藤くんの手をにぎって、今まで一度も斉藤くんを入れたことのないリビングに連れていき、二人でソファに倒れ込みました。

まだ十分に濡《ぬ》れてはいなかったけれど、一回いったあとは潮が満ちるように、私のなかから温かな液体があふれてきました。それを、音を立てて斉藤くんが吸い取りました。ときおり、マンションの中庭で遊ぶ子どもの声や、鳥のさえずりが聞こえてきましたが、私は斉藤くんの舌が緩急をつけて私のあそこで動く音だけを集中して聞いていました。斉藤くんがクリトリスをとがらせた舌ではじくようになめ続け、最後に強く吸い上げたとき、予期しない絶頂がまたやってきました。斉藤くんはすばやく私の体にのしかかり、私が顔の横においた左右の手首を強くにぎって、長い雄叫《おたけ》びのような声をあげる私の顔をじっと見つめたあと、口の中に熱い舌を差し入れて、ぐちょぐちょと乱暴に動かしました。絶頂って幸福の絶頂という意味なんだ、と私ははじめて理解しました。コスプレをしてセックスをしていたときのように、斉藤くんにはおびえのようなものがなく、私の体に触れるときの舌や指の動きは力に満ちていました。熱い舌や冷たい指で、乳首や脇腹《わきばら》や太ももの内側に乱暴に触れられるたびに、こめかみがじんじんとしびれました。私に触れてほしいのは斉藤くんだけなのだと思いました。斉藤くんの背中に手を回すと、前よりもずっと広くなっていることに気がつきました。でも。真夏の太陽を浴びてぐんぐんと成長していくひまわりのような斉藤くんのこの体も、いつか必ず乾いていく。この世に生まれた瞬間から老いていく人間のからだのことを考えると、私は子どものように声をあげて泣きたいような気持ちになるのでした。

斉藤くんが私のひざの裏を抱えて足を大きく開き、一気に私のなかに入ってきました。斉藤くんの先端が私のいちばん奥に到達して、その部分をこすったとき、もっと強くしてほしくて、斉藤くんの腰の動きに合わせて、私も腰を動かしました。強い快感が続いたまま、脳の芯《しん》ががくがくと揺れたようになって、私には今なんにもこわいものがないと思いました。こんな気持ちのいいセックスの果てに子どもが生まれるとしたら、それはなんてしあわせなことなんだろう。私の体は誤作動を起こして生めないけれど。斉藤くんとも、もう会えないけれど。

これで何度目になるのか、あっ、と女の子のような声を出して、斉藤くんが私のなかで果てました。指を伸ばして私のなかからあふれる斉藤くんの精液をなめてみました。おいしくない、と言った私の顔を見た斉藤くんの目が薄暗がりのなかでにぶく光って、斉藤くんが、もう一度、私のなかにゆっくりと入ってきました。

家中にあるたくさんの隠しカメラが、私と斉藤くんとのセックスをあらゆる角度から撮影していました。慶一郎さんはまた、撮影された画像を見て、子どもみたいにえーんえーんと泣くでしょう。慶一郎さんによく見えるように、私は足を大きく広げ、隣の人にも聞こえるように、大きな声を出して何度もいきまくりました。慶一郎さんは、泣きわめきながら私と斉藤くんがセックスしている写真や動画を世界中にばらまくでしょう。私たちが愛し合っている姿をばらまけばいい、と私は思いました。変態、と笑いたいのなら、いつまでもその場所で、私のことを指さして笑っていればいい。

真《ま》っ暗闇《くらやみ》の宇宙に浮かぶ地球が、ふわふわで透明な蜘蛛《くも》の糸に覆《おお》われていて、たくさんの文字や画像や音声が行き交うたびに、その細い糸がぴかぴかと光るのはとてもきれい。その蜘蛛の巣のなかで、私と斉藤くんのこの瞬間は、時間や空間を超えて永遠に漂い続けるのです。ごめんね斉藤くん。私と会ったことが、ふいに顔に触れる蜘蛛の糸のように、あなたの人生にまとわりつくことになるかもしれない。私、ばかで、でぶで、ぶすで、不妊の変態主婦なのに、今までつきあってくれてほんとうにどうもありがとう。

2035年のオーガズム

高校生になれば、あともう少し身長も伸びるし、胸も大きくなると思ってた。だけど、あたしの身長は中学三年のときから、三ミリしか伸びていなくて、ブラジャーのサイズもAカップのままだ。背が低いのはまだしも（だって、ちいさくてかわいいってみんな言ってくれるから）、この小学生のような胸はなんとかしたくて、バストアップに効果があるらしいと聞けば、キャベツや鶏肉《とりにく》を無理してたくさん食べたり、マッサージをしたり、エクササイズをしたりした。友だちのあくつちゃんは、「男にもまれれば大きくなるから安心しな」と言ってたけど、そういうあくつちゃんだって男の子とつきあったことがないし、胸もあたしと同じAカップなんだけど。

斉藤くんに生まれて初めて胸をもまれたとき、こんなに小さくてほんとうにごめんね、と思った。がっかりしただろうな、と思って、薄目を開けて斉藤くんの顔を見てみたけど、斉藤くんは目を閉じたまま、すっごいまじめな顔をしていて、正直なところ、あたしの胸に対してどういう感想を持ったのか、よくわからなかった。斉藤くんに胸をもまれたって気持ちよくもなんともなくて、ただくすぐったいだけだったけど、これであたしの胸が大きくなるのなら、とがまんしていた。

あたしの計画では、夏休みが終わるころには、斉藤くんと生まれて初めてのセックスをするはずだった。たくさんセックスをすれば胸も大きくなるはずと思ってた。だけど、その計画は途中で止まったままだ。斉藤くんがバイトを休んで今日で一週間になる。何度かメールを送ってみたけれど返信はない。夏休みはもう残り少ないのに、あたしはまだ処女で胸もAカップのままだ。

月曜日、プールのバイトは休み。午後二時の炎天下の河原。目の前には大人の背丈ほどもある草の茂みが続いていて、その手前にぽつんとある朽《く》ちかけた木のベンチの上にあくつちゃんが立ち上がって叫んだ。

「あっちぃ――っ」

あくつちゃんがデニムのミニスカートをたくし上げ、さっき、駅前でもらったばかりのパチンコ屋さん開店記念のうちわで、スカートの中をぱたぱたあおいだ。ショートパンツをはいたあたしも、真夏の太陽に熱せられたベンチに座ると太ももを火傷《やけど》しそうだったので、ベンチの横の草の上に座った。見上げると、あくつちゃんの頭に太陽がちらちら隠れた。まぶしくてあわてて目を閉じると黄色い残像が瞼《まぶた》の裏をゆらゆら漂った。空は古ぼけたシーツのような灰色で、さっきからこめかみのあたりがなんだか痛いのは、光化学スモッグのせいかなと思った。

「見せたいものがあるんだけど」とあくつちゃんから携帯に電話がかかってきたのはお昼前のことだった。県道沿いのファミレスで待ち合わせてお昼を食べ、しばらく話をしたあと、

「でさ、見せたいものって何？」と聞くと、

「いや、ここ、結構、人が多いからさ。やっぱ河原に行こう」と、あくつちゃんが目をきょろきょろさせながら言ったので、あたしたちは人気のないこの場所にやってきたのだ。

「あそこのファミレス、冷房やたら効きすぎー。さむー」とぶつぶつ言っていたあくつちゃんだけど、自転車をこぎ出した途端、「やっぱだめ暑すぎる。ちょっと待ってて」とコンビニに飛び込んで、ガリガリ君をくわえて出てきた。

あたしもベンチに上がってあくつちゃんの隣に立ってみた。あくつちゃんもあたしと同じくらい背が低い。爪先《つまさき》立ちで遠くを見ると、草の茂みのずっと先、白く乾いた石の向こうにやっと川の流れが確認できた。

「見せたいもの、見せて」あたしが言うと、あくつちゃんはうなずいてベンチの上にしゃがみ、カバンの中から手帳を取りだした。あたしもあくつちゃんの隣にしゃがみ込んだ。

「うちのお姉ちゃんさぁ、アニメとか好きで。同人誌作ったり、コミケ行ったり。かなり気持ち悪い女なんだ。で、ネットとかでコスプレ掲示板みたいのがあってね。そこで話題になってる写真らしいんだけど……」そう言いながら、あくつちゃんは手に持っていたガリガリ君の木の棒をべたべたするーと言いながら茂みに投げ捨て、指をスカートにこすりつけた。

「最初はさ、七菜《なな》にメールで送ろうと思ったんだよ。だけど、なんかそれもいきなりだし、ショックが大きいんじゃないかと思って。お姉ちゃんがプリントしてくれたんだ。お姉ちゃんが言うには、うちの高校の生徒なんじゃないかって。うちのプリンター古いからわかりにくいと思うけど。……これってさ……」

「七菜、これ、本当に見たい?」あくつちゃんがあたしの顔をのぞきこんだ。

橋を渡る救急車のサイレンが風に乗って聞こえてきた。うん、と言葉に出さずにうなずくと、あくつちゃんが四つ折りにした紙を渡してくれた。広げると、右端をホチキスで留めたA4の紙に小さな画像が何個も並べられていた。紫色の白衣のような衣装を着て、青いロングヘアのウイッグ、小さなメガネをかけている男の子の写真。全身を写した写真だと誰なのかはわからない。紙をめくると、今度は顔のアップが延々続いていた。右側から撮影した横顔のアップを見たときに、胸が針で刺されたようにちくんとした。メイクで薄くなっているけれど、右目の下に並んでふたつある小さなほくろが見えた。

「斉藤くん」思わず声が出た。

「やっぱり」と言ったあくつちゃんの声がなぜだか少しだけうれしそうだった。

「あいつさー、こんな趣味があったなんてびっくりだよ。七菜、この斉藤がしてるコスプレのアニメ、知ってる?」

「知らない。あたし、アニメとかぜんぜん見ない」そう言いながらのどがすっごく渇いていることに気が付いた。あたしはママが熱中症予防にと、無理矢理持たせてくれたペットボトルのぬるいミネラルウォーターを一口飲んだ。

「魔法少女マジカルなんとか、って言うアニメで。土曜日の朝にやってるんだけど。ファンサイトもたくさんあるらしくて。お姉ちゃんが言うには最初はそのファンサイトあてに斉藤の名前と住所入りで、コスプレしてる画像とかがいきなり送られてきたんだって」

「斉藤くんが送ったの？　自分の名前で？」

「自分でそんなことしないだろーふつー。なんかほかにもやばいのがいろいろあるらしくてさ……」あくつちゃんも、さっきのコンビニで買った紙パック入りのミルクティにストローをさして、勢いよく吸いこんだ。

「やばいって？」

「う――――ん………。写真はまだしも、動画のほうがね……、だからさぁ、それはつまり」と言いながら、あくつちゃんはまたストローでミルクティを勢いよく吸い上げ、ごくりと音を立てて飲み込んだ。

「えろっちいの？」あたしが言うと、あくつちゃんはストローを口にくわえたまま上目遣いにあたしを見て、小さくうなずいた。

「お姉ちゃんが言うには、斉藤とつきあってた相手が送ってるんじゃないかって。送られてきた写真も動画も、その相手の顔はうまいこと写ってないんだよ。……だけど、あいつ、おとなしそうな顔してなんかやばい感じだよねー。バイトも無断欠勤してるし。こんな写真さらされて、ほんっとーに、ばかだよ」黙り込んでいるあたしの顔を見て、あくつちゃんが「あ、ごめん」と小さな声で言った。

あくつちゃんの話を聞きながら、斉藤くんのあとをつけて川向こうの古ぼけたマンションに行ったときのことを思いだしていた。エレベーターホールに隠れているあたしに気づかずに、斉藤くんは慣れた様子で七階のいちばん奥の部屋に入っていった。ドアに耳をあててみたけれど、何の音も聞こえなかった。このまま帰ってしまおうか、迷っていると、廊下に面した部屋から女の人の声がかすかに聞こえてきた。

窓に近づいて耳をすませてみた。女の人のあえぎ声だった。部屋の窓にはまってい る面格子《めんごうし》を強く握りしめていたので、指が痛くなった。斉藤くんと誰かがこの窓の向こうでセックスしている。そう思ったらブラジャーの下で心臓がドキドキしはじめた。面格子に顔をめりこませるように耳を近づけた。「いっちゃだめだ」斉藤くんの声がはっきりと聞こえた瞬間、隣の部屋のドアが勢いよく開いたので、あたしはその場所から急いで逃げ出し、廊下のすみにある非常階段を駆け下りた。斉藤くんがつきあってるって言ってた人って、あのマンションに住んでいる人なのかも。それがこの写真を撮った人？

「七菜ってさ、今、実際、斉藤とどうなってんの？」どう答えたらいいのかわからなくて頭を横にふった。

「途中までうまくいきそうだったけど」言っている途中で、まばたきをしたら、いきなり右目から涙がつーっと垂れたので自分でもびっくりした。あたしの顔を見ていたあくつちゃんが、「ちょっちょっちょっちょっ、わ――――」とわけのわからないことを言いながら、あわててカバンの中から取り出したハンカチを渡してくれた。ありがと、と言いながら、そのくしゃくしゃになったハンカチで涙をふいた。

「七菜を泣かすつもりで見せたんじゃないんだって。斉藤、こういう変態だから気をつけなって、七菜に言うつもりだったんだよ。だからさー、そのー」しどろもどろになりながら、なぜだかあくつちゃんはカバンの中からスニッカーズを出し、パッケージをむしり取って「食べる？」と差し出した。あたしが首を横に振ると、溶けかけた茶色のかたまりをむしゃむしゃと食べ始めた。

「ごめん、泣いちゃって」とあくつちゃんに言いながら、涙が止まらなかった。

「もう、やめよう。やっぱりこんなの、七菜に見せるんじゃなかったよ。あたしが悪かった。すぐに捨てちゃうから。ね」紙の束を無理矢理力任せに破こうとしたあくつちゃんの腕をつかんだ。

「何？」

「ちょうだいそれ」

「欲しいのこれ？」

「うん。あと、そのサイトのアドレスも」

「見たいんだ？」

「うん」と言いながらポケットティッシュで大きな音を立てて鼻をかむあたしの顔をじっと見つめたあと、

「はははははははははははは」弾《はじ》けたようにあくつちゃんが笑った。大きな口を開けたあくつちゃんの奥歯にチョコのかけらがくっついているのが見えた。

「まだ好きだから」と言ったあと、また少しだけ涙が出そうになった。


あたしの家は土手を降りて、道路を一本はさんだところにある。

パパが言うには、昔、台風で目の前の川が氾濫《はんらん》して、このあたりの家ごと何軒も流されたことがあったんだって。江戸時代よりもっと前には、山の上の神社の鳥居の下まで水に沈んだこともあったらしい。

「わざわざ、そんなことがあった場所になんで家を建てるの」とママは反対したみたいだったけど、「一回そういうことがあった場所は、二度とそういうことは起こらない」と言い張って、パパはここに家を建てた。それほど大きくもない衣料品メーカーに勤めるパパのお給料を考えれば、この家はとっても高い買い物なのだと、ママはため息まじりに何回も言っていた。だけど、パパが生まれた家はとても貧乏で、狭くてぼろい団地暮らしがとってもいやで、子どもが生まれたら、なんとしてでもすぐにマイホームを手に入れたかったんだって。

「家っていう頑丈な容《い》れ物を用意してやれば、子どもはまっすぐに育つんだ」パパは酔っぱらうと、よくそんなことを言っていた。団地暮らしだって、貧乏だって、パパはまっすぐ育ったんじゃん、とあたしが言うと、

「おれはぜんぜんまっすぐじゃないぞー」と真っ赤な顔をして笑いながら、あたしのわきのしたをこちょこちょとくすぐった。特別、趣味のない人だけど、日曜になると、家の修繕をしたり、庭の手入れをするパパは、なんだかとてもしあわせそうだった。だけど、パパは今、この家にはいなくて、東北にある工場の工場長に任命されて、単身赴任をしている。お盆休みも忙しくて帰れないらしい。

あくつちゃんと河原で話しているうちにすっかり夕方になってしまった。昼間の熱気が残ったアスファルトの道路を自転車で走って行くと、二階のベランダにお兄ちゃんが立っているのが見えた。双眼鏡でこっちを見ているような気がしたので手を振ってみたけれど、まったく反応がなかった。家のわきにある街灯に照らされて、お兄ちゃんが着ている真っ白いシャツが光ったように見えた。ぎいぃという音のする錆《さ》び付いた門扉《もんぴ》を開けて、勝手口のわきに自転車をとめた。ママもお兄ちゃんもいるのに、

家の中は真っ暗だ。パパがこまめに手入れしていた広い庭も、今は雑草が伸び放題。だけど、うるさいくらいに鳴いている虫たちにとっては居心地がいいのかもしれない。もう空はすっかり暗くなっているのに、庭の隅にあるサルスベリの紅色がなんだかいやにぎらぎらして見えた。

「ママー」

台所の電気をつけながら家に上がると、テーブルの上に、ラップのかかったお皿が用意されていた。リビングに入っていくと、ママはソファに横になって、小さないびきをかいて寝ていた。テーブルの上には、韓国ドラマのＤＶＤやクロスワードパズルの雑誌が散乱していた。

肩をつかんで軽くゆすってみた。いびきが急に止まり、ごっ、という奇妙な音をのどの奥から出して、ママが薄く目を開け、

「あ……、おかえり」と言いながら、だるそうに体を起こした。

「あらやだ、もう真っ暗。おなか空《す》いているんじゃないの？　もうできてるからね夕食」

「寝てていいって。ママ、体きつかったらいいんだよ、ごはん作らなくて。あたし、コンビニでなんか買ってくるから」

「だめよそんなの」と言いながら立ち上がり、台所のほうにふらふらと歩いていこうとするので、

「いいって、そんなのあたしがやるから」と、もう一度、ママの腕を引っ張って、ソファに寝かせ、ガーゼの薄い掛け布団《ぶとん》をかけた。部屋が寒すぎる気がして、エアコンのリモコンを見ると設定温度が十八度になっていた。

こうねんきしょうがい、ってなんだかよくわかんないけど大変なんだなぁと思う。ママといっしょにごはんを食べていても、いきなり汗をかき始めて、シャワーを浴びたみたいに髪の毛が濡《ぬ》れてたり、うっ、と言いながら急に胸をおさえたり。小さいころからママが病気で寝ているところなんか見たことなかったので、最初はびっくりした。死んじゃうんじゃないかと思って。

ママの体調が悪くなってから、家のなかはちょっとずつ汚れていった。あたしも一応掃除はするけれど、同じようにやっても、ママが掃除したあとのようにきれいにならない。だけど、ママはどんなに体調が悪くても、ごはんだけは毎日作り続けていて。それが、「母としての最後のプライド」なんだって。ママはスーパーのパートをやめた。こうねんきしょうがいで体がつらいから、っていうのもそうだけど、お兄ちゃんのことが心配なんだろうな、とも思った。

レンジがチンと鳴ったので、中の皿を取り出した。ラップをはがすと、真ん中にゆで卵の入ったミートローフだったので、やったぁと思った。ママの得意料理。あたしとお兄ちゃんの大好物。テーブルの上にはお兄ちゃんの分も用意されているけど、お兄ちゃんは食べないと思う。お兄ちゃんは今、玄米と蒸した野菜しか食べない。お兄ちゃんは誰よりも早く起きてきて、一日分の食事を用意すると、それをタッパーに入れ、自分の部屋に持って行って一人で食べている。それもすっごくちょっぴりとしか食べないから、あんなにぷくぷくだったお兄ちゃんは、ガリガリに痩《や》せてしまった。多分、ママはそんなこともすごく心配なんだと思う。

すっかり夜になってしまったけれど、ママが朝干したままになっている洗濯物を取りこみに、二階のあたしの部屋からベランダに出た。お兄ちゃんはさっきと同じように、双眼鏡に目をあてて河原を眺めていた。「何見てんの?」ピンチにはさまれた洗濯物を下に引っ張るようにむしりながら聞いた。これやってるの見つかるとママに叱《しか》られるけど。

「おろかなにんげんどものあくぎょうです」

お兄ちゃんが平坦《へいたん》なアクセントで、それも早口で言ったので、それがあたしの頭の中で「愚かな人間どもの悪行」と漢字に変換されるまで、しばらく時間がかかった。

「あくぎょうって？」

「お金とかセックスとか暴力とか」生まれて初めて、お兄ちゃんがセックスと言ったのを聞いた。言い慣れているふうに、何の照れもなく、セックス、なんていうお兄ちゃんにすごくびっくりして、あたしは抱えていた洗濯物を自分の部屋に乱暴に投げ入れた。暴力はだめだけど、お金とセックスは生きていくのに大切なもののような気もするけど。

「南極の氷が溶け出したら、この川なんてすぐにあふれてしまいますよ。この街もこの家も大水で流されてしまいますからね」と、お兄ちゃんがやけにうれしそうな顔で言った。

「この家が流されたら、パパは多分、とても悲しがると思うけど」あたしが言ったことを無視してお兄ちゃんが言った。

「２０３５年の皆既日食が次のターニングポイントなんです。それまでに悔い改めないといけません」

お兄ちゃんの言っていることが、あたしには時々よくわからない。

だけど、それは今に始まったことじゃなくて、子どものころからそうだった。お兄ちゃんは小さなころから頭のいい子どもだった。ママが言っていたけれど、寝返りをうつのも、歯が生えるのも、歩き出すのも、言葉を話すのも、文字を覚えるのも、ほかの子どもと比べてとっても早かったらしい。トイレの壁に貼《は》ってあった銀行のポスターの、日本の都道府県と県庁所在地、世界の国々と首都の名前は、三歳のときに覚えてしまったし、小学校に入学してからは、一学期に渡された教科書を一日かけて読むだけで、内容を全部覚えていたんだって。パパもママも、頭の出来はいたって普通、（というか普通以下かも）なので、この子は誰に似たんだと、お兄ちゃんの天才ぶりには驚いたらしい。

授業が簡単すぎて学校がつまらないと泣きわめくので、お兄ちゃんは小学三年生のころから塾に行き出した。お兄ちゃんが通っていたのは、とっても難しい私立中学を受験するための塾で、授業料もとても高かったので、ママはスーパーでパートを始めるようになった。幼稚園の年長さんだったあたしも、そのころのことはよく覚えている。あたしは、幼稚園の延長保育に預けられて、うす暗くなった園庭を見つめながら、ママが迎えにくるのを待っていた。

家に帰ると、慌《あわ》ただしく夕食を食べて、お風呂《ふろ》に入って、いったんは布団に入って眠るんだけど、夜の十時過ぎになると無理矢理起こされて、塾から帰ってくるお兄ちゃんをママと二人で駅まで迎えに行った。あたしを家に一人で寝かせておくのも不安だから、とママはいつも寝ぼけまなこのあたしをママチャリに乗せて、駅までの道を走り抜けた。眠いし、寒いし、駅に行くのは大嫌いだったけど、帰りにいつもは絶対に買ってくれないコンビニのあんまんを買ってあげるからと言われて、ママについていった。駅にはママと同じように塾帰りの子どもを待つお母さんたちがたくさんいた。「おたくのぼっちゃん、本当によくおできになるのね。こんなにかわいい妹さんもいらっしゃって。妹さんも勉強がおできになるんでしょうね」とか言われて、「いえいえそんな」と言いながらも、ママはすっごくうれしそうだった。あたしは、あたしにはおできはないんだけど、と心の中で怒っていた。

塾の成績もずっとトップだったお兄ちゃんは、この街の公立中学には進まずに中学受験をすることになった。夜遅くまで勉強していたお兄ちゃんは朝になってもなかなか起きられなくて、パパはそんなお兄ちゃんのために、毎朝、ほかほかの蒸しタオルでお兄ちゃんの首筋を温めていた。

「ここに太い血管があるんだ。頭に温かい血がめぐれば、目がぱっちりするからな」とか言いながら。あたしはそんな二人の後ろ姿を見ながら、黙ってしゃかしゃかと歯を磨いていた。

お兄ちゃんはこのあたりで一番難しい中高一貫校にトップで合格した。お兄ちゃんが家族に対して、不自然な敬語で話すようになったのもこのころのことだ。家の中では、食事をするとき以外は、いつも本を読んでいた。ママやあたしに、

「ドストエフスキーの『地下室の手記』を読んで思ったんですけど」

「ノイシュヴァンシュタイン城を作ったルートウィヒ二世という人はね」

「明治維新は無血革命といわれているけど、実は違うんですよ」などと、そのとき自分が夢中になっていることをいきなり話しかけた。そんなお兄ちゃんと、パパもママもあたしも話を合わすことができなくて曖昧《あいまい》に笑っていた。この家に自分と話のあう人間はいないと思ったのか、次第にお兄ちゃんは家の中であんまりしゃべらなくなった。

私服で行ける学校なのに、洋服はいつも白いシャツとジーンズ。季節に合わせて、そのシャツが半袖《はんそで》になったり、長袖になったりした。高校生になっても、ママが買ってくる洋服を嫌がらずに着ていた。あたしはそんなの絶対に信じられないけど、お兄ちゃんは自分が着ている洋服のことなんてまったく気にならないみたいだった。お兄ちゃんの通っていた学校は男子校で、いくら頭がよくても、六年間も男だらけのところで過ごすなんて、あたしは信じられなかった。

一回、ママに連れられてお兄ちゃんの学校の文化祭に行ったことがあるんだけど、お兄ちゃんのコピーみたいな男の子がいっぱいいた。遠目に見ると、全部がお兄ちゃんみたいだった。なんだかみんなおとなしくて、声が小さくて、早口で、メガネをかけている子ばっかりで、髪型もみんな同じで、このなかから好きな男の子を選べ、って言われても絶対に無理だと思った。

ママにしつこく言われて、高校受験を控えたあたしのために、お兄ちゃんは時々勉強を教えてくれた。だけど、あたしはその時間が大嫌いだった。お兄ちゃんは、自分が理解した方法をただ一方的に早口で話すだけで、世の中にはあたしみたいに、同じことをゆっくり三回説明されてもわからない子どもがいることがわからないみたいだった。あたしが、このあたりで、下から二番目に頭の悪い高校に受かった年、お兄ちゃんは現役でT大に受かった。それも理科三類、っていう超むずかしい（らしい）ところに。普段はあんまり感情をあらわにしないパパだけど、お兄ちゃんがT大に入ったときは、本当にうれしかったみたい。会社でも会う人会う人に、「うちの息子が現役でT大に入りまして」とか言っていたので、上司にやんわりと注意されたことがあったらしい。

昔から風変わりなお兄ちゃんだったけど、大学に入ってから、ますます変な風にねじれていった。それまで大喜びでパクパク食べていたママの料理を残すようになった。特に、肉は一切口にしなくなった。電磁波は体に悪いから、といって、携帯電話や電子レンジも使わなくなった。部屋のなかでいつまでもあぐらを組んで目をつぶっていたり、部屋にインド人みたいな髭《ひげ》だらけのおじいさんの写真を飾ったりするようになった。洗濯も家族とは別に、自分のものだけ、どっかから買ってきた粉末の石けんで洗うようになった。お兄ちゃんが洗濯機を使ったあとに洗濯をすると、変な匂《にお》いがうつるので文句を言うと、

「合成洗剤とか使っていると、体にどくがたまって、七菜ちゃんの子どもが病気になってしまいますよ」とあたしをおどすようなことを言った。

「最近のお兄ちゃんなんかへんだよー」とママに言うと、

「今度は環境問題とかに興味がでてきたんでしょ。お兄ちゃん、ほら凝り性だから」と笑いながら言った。母親は救いようがないほど息子には甘いものだ、とテレビで誰かが言っていたけれど、うちのママもやっぱり例外じゃないんだと思った。

お兄ちゃんが突然家に帰らなくなったのは、五月の連休前のことだ。最初の一日、二日は、大学生だもの、男の子だもの、そんなこともあるわよねー、彼女でもできた

のかもしれないし、とのんきに構えていたママも、一週間以上連絡がなくなってさすがに不安になったようで、東北に単身赴任しているパパに連絡し、パパも仕事を放り投げて帰ってきた。だけど、お兄ちゃんは携帯を持っていないし、友だちらしい友だちはいないし、パパもママも途方にくれて、警察に捜索願いを出した。だけど、一カ月を過ぎても、お兄ちゃんの行方はわからなかった。

英語の辞書を借りたくて、お兄ちゃんの部屋に入ると、床の上には、蟻塚《ありづか》みたいに本の山が何個もできていて、足の踏み場がなかった。蟻塚を壊しながら、机に近づいていくと、机の上には、お兄ちゃんが写真を飾っていた、やたらに目力の強いおじいさんが表紙になった一冊の本が置かれていた。その本をパラパラとめくってみると、一ページ目に「過去を捨て去れ。今を生きろ」とだけ書かれていた。お兄ちゃんに捨てる必要のある過去なんかあるのかなーとあたしは思った。ママの作ったハンバーグやコロッケをぱくついて、パパにぬくぬくと守られて勉強だけしてきたようなお兄ちゃんに。

「これは、松永優介《ゆうすけ》くんではありませんか？」

梅雨に入ったころ、お兄ちゃんの同級生の日向《ひなた》さんという人が、突然、家にやってきた。リビングのテーブルの上に日向さんが差し出した一枚の写真を、パパとママとあたしがのぞきこんで見つめた。あたしはその写真を見て吹き出しそうになって、あわてて手のひらで口を覆《おお》った。衿《えり》のない白い服を着て、あごのあたりまで髪の伸びたお兄ちゃんが、同じように白い服を着た化粧っけのない地味な女の人と、今までに見たことのないようなにやけた顔で写っていたからだ。

「ここはどこですか。優介はどこにいるんですか」テーブル越しの日向さんに飛びかかるようにたずねるママを、パパが制した。

「長野にある、とある団体の施設です」と言いながら、日向さんは緑色のトートバッグの中から一冊の本を取り出した。お兄ちゃんの机の上にあったのと同じ、怪しいおじいさんが表紙になった本だった。

「元々は、インドにある宗教団体の日本支部だったそうです。実は、ぼくもこの前この施設に人を探しに行って帰ってきたばかりなんです」そう言いながら、日向さんは黒縁のメガネのわきを親指と中指でくいっと押し上げた。日向さんはお兄ちゃんみたいにやぼったくなくて、髪の毛も美容院でこまめに切っているような感じで、Tシャツとか、その上に羽織ったきれいなピンク色のシャツとか、お金はかかってないけど自分の好きなものをじっくり選びました、みたいな服装がとても似合っていた。

「あの……、その宗教団体というのは、昔、地下鉄に毒をまいたような……」

日向さんの隣に座ったパパが、険しい表情で聞いた。

「ぼくもそれほどくわしくはありませんが、宗教団体といえるほど、戒律の厳しい宗教的な生活をしている団体ではありません。似てはいますが、あの事件を起こしたカルトとの直接の関係はないようです。世の中を変えてやろうとか、そういうアグレッシブな団体でもありません。ただ」日向さんが目の前の麦茶を一口飲み、あたしをちらっと見て顔を赤くした。

「妹さんの前では、少し話しにくい内容なのですが」言い終えると日向さんはまた、コップの麦茶を飲んだので、ママがすぐに注ぎ足した。

「七菜、二階に行ってなさい」パパが真剣な顔で言った。当然、二階になんか行かないつもりだったけど、あたしはうなずいて立ち上がり、日向さんに会釈《えしゃく》してリビングのドアを閉めた。スリッパを脱いで、足音を立てないように注意しながら台所に行き、リビングとの間にある引き戸をほんの少しだけ開け、日向さんの話に耳をすませた。

「……表向きはタントラというのでしょうか、つまり、その……、セックスのときに感じるオーガズムで、意識を拡大していこうとか、それらしいことを一応は言っています。たくさんの男女がオーガズムを感じることで、人間の奥深くに眠っているエネルギーを解き放って、一人ひとりが自分を越えた存在になることができれば、２０３５年に起こる地球の滅亡を止められるとか、そういう荒唐無稽《こうとうむけい》な話です」

パパもママも、そして盗み聞きをしているあたしも、日向さんが言っていることがまったくわからなかった。パパとママの表情は見えないけれど、あっけにとられた顔をしているような気がする。それでも日向さんは、パパやママにもよくわかるように、ずいぶん、かみくだいて話をしてくれたのだと思う。言葉を選んで、できるだけゆっくり話そうとする日向さんには、自分が見てきたことをパパとママにきちんと説明する義務があるのだという使命感みたいなものが感じられた。お兄ちゃんの友だちでもないのに、すっごくまじめな性格の人なんだろうなぁ。

「勧誘するときには環境問題とか、今どきの学生が興味のありそうな話を持ち出すようです。それなりに理論武装はしていますが、はっきり言って、施設のなかでやっていることはめちゃくちゃです。特に、団体の前の代表者が大麻の所持や栽培で逮捕されてからは……」誰かが麦茶を飲んだのか、ごくり、という音がここまで聞こえてきた。

「……施設の中はフリーセックスなんです」今度はあたしがあわてて唾《つば》を飲み込んでしまった。フリーセックスって、乱交ってこと？　セックスし放題ってことだよねー。

「それが目的で、長野に行く学生もたくさんいます」

ママのすすり泣くような声が聞こえてきた。ショックを受けているママには悪いけれど、あの、ばかまじめなお兄ちゃんがフリーセックスに飛びついたってことなんだーと思ったら、顔が自然ににやけてしまった。じゃあ、日向さんもそのエサにつられそうになった、ということなのかな？

「その施設で撮影した写真を大学の友だちに見せたら、ここに写っている松永くんが行方不明になって大騒ぎになっていると聞きまして……。一回、セミナーに参加すると、すぐに施設を出て行く学生がほとんどなんですが……。松永くんといっしょに写っているのが、今の代表者です。前の代表者の内縁の妻だといわれています。松永くんはこの女性に勧誘されて、長野に行ったようです」日向さんがさっき見せてくれた、お兄ちゃんの隣にいる女の人をあたしは思い出していた。長い髪の毛を真ん中で分けて、ノーメイクで、ちょっと冴《さ》えない感じの、年齢不詳の女の人。

「彼女がやってくる学生たちに、その……学生に性体験がなければ、の話ですが、性の手ほどき、をするのだといわれています」

性の手ほどき、って何？　カチッとライターの音がして、煙草《たばこ》の煙がキッチンのほうにも流れて来たので、あたしは咳《せき》をしないように、鼻と口に手のひらをあてた。まわりの人に許可もとらずにいきなり煙草を吸い始めるなんて、パパも相当、動揺しているんだと思う。

「これについてもくわしいことは、ぼくにはわかりません。ただ、ＡＶなどで植え付けられた間違った性知識を正すのが、彼女の役割とされているようです。女性の体にどう触れたらいいのか、とか……。この施設のなかでは、基本的にカップルになることは禁止されているんですが、松永くんはずいぶん、この女性と親しかったと聞いています。……ただ、彼女はもうこの施設にはいません。タイかインドに行ったという話はありますが、突然姿を消したようです。リーダー的な存在の彼女がいなくなって、団体としては遅かれ早かれ、解散という形になるのだと思います。行き場のない学生が、まだ施設に残って共同生活をしているようですが……、まわりの住民からの反発も大きいですし。いずれは、あの施設を出て行くことになるのだと思います。ぼくが思うに、松永くんはただ帰る機会を失っているだけなんだと思います。ぼくはそれほど松永くんと親しかったわけではありませんし、こんなことを言うのもおかしいと思いますが……」

ガタンと椅子《いす》を引く音がして、しばらく誰の声もしなくなった。

「あの、何も言わずに松永くんを迎えに行っていただけませんか」

あたしは立ち上がって、引き戸のすき間からリビングをのぞいた。日向さんがパパとママに深々と頭を下げていた。日向さんがそんなことする必要はないはずなのに。パパは、あわてて日向さんを椅子に座らせ、ママはお兄ちゃんのにやけ顔が写った写真を持ったまま泣き崩れていた。

梅雨の明けたころ、お兄ちゃんはパパに連れられてこの家に帰ってきた。パパが拍子抜けするほど、お兄ちゃんは素直に車に乗りこみ、パーキングエリアでカツ丼《どん》を立て続けに二杯食べたらしい。家に着く前に、パパに床屋に連れていかれたらしく、お兄ちゃんの頭は高校球児みたいに青々としていた。車が家に着くと、お兄ちゃんの帰りを待っていたあたしとママの前で、パパがお兄ちゃんを一発なぐった。お兄ちゃんは玄関の前に派手に倒れた。

「家族を心配させんな」と言って、パパはそのまま東北の工場に帰っていった。お兄ちゃんは、吹き出した鼻血を拭《ふ》きもしないで、あたしとママに頭を下げ、階段を駆け上って、自分の部屋に入っていった。玄関の前には、お兄ちゃんの鼻血が点々と落ちていた。

自分の部屋でパソコンを立ち上げると、早速、あくつちゃんからのメールが来ていた。

「心の準備をしてから見たほうがいいよ」というメッセージのあとに、だらだらと長いアドレスがいくつかペーストされていた。一回、軽く深呼吸をして、そのアドレスをクリックしてみた。最初のサイトはごく普通のコスプレ掲示板で、なにかのアニメのキャラクターなのか、さまざまなコスプレ衣装で決めポーズをとる写真がいくつも並んでいた。

顔を白く塗る化粧、カラコン、ウイッグ、そんなのがごく当たり前の世界みたいで、その世界に慣れるまであたしの頭は混乱した。写真を順番に見ていくと、今日、あくつちゃんが見せてくれた、紫色の白衣のようなものを着た斉藤くんらしき写真を見つけた。写真をクリックすると、さらに大きな写真が出てきた。紫色の白衣のような衣装を着て、ウイッグをかぶった斉藤くんが、こっちをにらむようなポーズをとっている。「次の画像」というところをクリックしていくと、さまざまなポーズをとった斉藤くんが出てきた。化粧をした斉藤くんは確かにきれいでかっこよく見えて、いつものだるそうな斉藤くんじゃなくて、あたしは夢中になって「次の画像」という部分をクリックし続けた。

次のアドレスをクリックすると、「K市に住むS藤T巳くんの過激でただれたコスプレセックス」という真っ赤な文字のタイトルが目に飛び込んできた。誰が作ったのか、それは斉藤くんのコスプレ写真と、動画だけが延々と貼《は》られた専用のサイトみたいだった。

隣の部屋にお兄ちゃんがいるので、パソコンにヘッドフォンをつないで、動画のひとつをクリックしてみた。いきなり女の子の大きな声が流れてきたので、あわてて音量を小さくした。コスプレ衣装をつけた斉藤くんが女の子に乗っかって腰を動かしている映像がいきなり再生された。ニーソックスをはいた女の子の白い太ももと、制服みたいなスカートが見える。この子、どこの高校なのかな。斉藤くんは、うっ、という小さな声をあげながら、腰を動かしていた。目を閉じてうっとりした顔をしてる。時々、手を伸ばして、女の子の乳首のあたりをつまんでいた。女の子も「むらまささまぁ」と声をあげて、斉藤くんの腕をぎゅっとつかんだ。斉藤くんが動くたびに、相手の女の子の胸がぷるんぷるんと揺れた。この子は斉藤くんとセックスしたから胸が大きくなったのかな。女の子の声が大きくなって、斉藤くんの腰の動きがどんどん早くなった。あたしの右手はいつの間にか、自分の胸を強くつかんでいた。動画の中の女の子が、いくぅぅぅぅと悲鳴のような声をあげた。斉藤くんとセックスをしているその子がうらやましかった。一回だけ見て、すぐにやめようと思ったのに、あたしは夜遅くまで、その動画を何回も再生し続けた。

　朝起きてカーテンを開けると、お兄ちゃんがベランダであぐらをかいているのが見えた。最初はママもお兄ちゃんに気を遣っていたので、あたしもお兄ちゃんを刺激するようなことは言わないようにしていたけれど、家に帰ってきて、二カ月近くもたつのに、自分の部屋に閉じこもりっぱなしで、何もしないお兄ちゃんを見ていると、正直いらいらした。

「お兄ちゃん、大学やめちゃうの？　せっかく入ったのに？」

　お兄ちゃんは返事をしない。サイクリングロードをジョギングする人が、こちらをちらりと見た。

「お兄ちゃん、これからどうすんの？　働くの？　バイトとかしないの？」

　お兄ちゃんは目を閉じたまま、ぴくりとも動かない。太陽はいつの間にか厚い雲に隠れて、真夏にしてはひんやりした風が吹いてきた。

「お兄ちゃん、あの長野の人のこと、好きだったの？」お兄ちゃんがゆっくり目を開けて、あたしのほうを見て言った。

「七菜ちゃん、最近、河原には行かないんですね」最初、お兄ちゃんの言っていることがわからなくてきょとんとしているあたしに、お兄ちゃんが続けた。

「隠れているつもりでも、どこにでも死角っていうのがあるんですよ」

自分の顔が火がついたみたいに熱くなるのがわかった。ばかじゃないの、ばかじゃないの、お兄ちゃんばかじゃないの、と言いながら、あたしはベランダにあったサンダルをお兄ちゃんに投げつけた。白いシャツの袖《そで》の部分に、サンダルの足跡がくっきりついた。

ひどく腹をたてたまま、ママの作ってくれたお弁当を持って、バイトに出かけた。休憩時間に携帯を見ると、日向さんからメールが来ていた。日向さんは、お兄ちゃんがこの家に帰ってきてから、パパに頼まれて、時々、お兄ちゃんに会いに来ていた。お兄ちゃんの部屋にコーヒーとかお菓子を持っていくと、日向さんがあたしの顔を見て、顔を赤くして目をそらした。パパに頼まれたとはいえ、あまりに人の良すぎる日向さんになんだか興味がわいて、あたしのほうから日向さんのメアドを教えてもらって、それから時々、メールのやりとりをするようになっていた。

「バイトがんばってる？」っていうタイトルで、絵文字がたくさん入ったメールを読んでから、あたしは小さなため息をついて、返信もしないで、すぐに携帯をバッグにしまった。休憩室に入ってきたあくつちゃんが、あたしの顔を見て何か言いたそうな顔をしたけど、チーフに呼ばれて、そのままロッカールームに行ってしまった。気温が低いせいなのか、今日のプールは人が少なかった。お昼過ぎから雨も降り出して、いつもより早い時間にプールを閉めることになった。斉藤くんはもうずっとバイトを休んでいる。自転車を駐輪場に置いたまま、傘をさして帰ろうか迷っていると、斉藤くんの友だちの福田くんが近づいてきた。

「今日、斉藤の家寄るけど、行く？」

少し迷ったあとに、あたしがうん、とうなずくと、福田くんは迷いもなく雨の中を自転車で走り出したので、あたしもあわてて自転車に乗り、福田くんのあとを追いかけた。温泉ランドにあるミストサウナみたいな細かい雨があたしの顔や服を濡《ぬ》らした。

斉藤くんの家の前を通ったことはあるけれど、家の中に入るのは初めてだった。

玄関ドアにかけられた「さいとう助産院」っていうプレートがなければ、誰もここが助産院なんて気づかないと思う。二階建ての古い民家。ドアをあけると、コンクリートのたたきに革靴やスニーカー、子どもの小さなサンダルが散乱していた。福田くんはビーチサンダルを脱ぎ捨てて部屋に上がり、ずんずん廊下の奥に進んでいくので、あたしもあわててサンダルを脱いで福田くんの後を追った。どこからか、女の人の悲鳴のような声が聞こえた。

「おばさん」福田くんが襖《ふすま》の向こうに声をかけると、「ちょっと待って！」と大きな女の人の声がした。荒い息づかいの合間に、あぁっ、と、部屋のなかから苦しそうな声がする。しばらく間があって、斉藤くんのお母さんらしき人が襖を開けた。部屋の奥に、Tシャツ一枚だけを身につけ、カエルみたいに両脚を広げた妊婦さんがちらりと見えた。後ろにいる男の人に体を支えてもらいながら、肩で息をしながらあえいでいた。黒々とした妊婦さんの陰毛と赤黒いあそこが水に濡れたように光っていて、あたしは思わず目をそらした。

「服びっしょりじゃない」と襖を閉めて言いながら、斉藤くんのお母さんがあたしのほうを見た。背が高くて、やせていて、目のあたりが斉藤くんに少し似ているかも、と思った。あたしがお辞儀をすると「良太の彼女？」とにやにやしながら言った。目じりに細かいしわが寄った。

「ちげーよ。クラスメートだよ。卓巳《たくみ》の部屋上がるよ」

「今日も一日部屋から出てきやしないわよ。あのばか。何考えてるんだろ」と言いながら、廊下に置かれた籐《とう》でできた蓋《ふた》つきの物入れからタオルを出して、「濡れたままじゃ体冷えるよ。これで拭きなさい」とあたしと福田くんに渡してくれた。

あああああ――――っと部屋の中にいる女の人が大きな声を上げた。

「忙しいから勝手に二階上がっていいから。冷蔵庫のアイスでもジュースでもなんでも出して食べて」と言いながら、斉藤くんのお母さんはあわてて部屋の中に戻って行った。福田くんは慣れた様子で玄関わきにある台所に入っていくと、大きな冷蔵庫の中から、缶のみかんジュースを三本出して、「ほい」と、一本をあたしに渡してくれた。あたしは生まれて初めて見たお産がかなりショックで、缶ジュースを持ったまま台所の床を見つめて立ちつくしていた。そんなあたしを見て、福田くんは「いきなり見たら驚くよなぁ」と言うと、のどぼとけを上下させて缶ジュースを一気飲みした。

狭くて急な階段を上がっていく福田くんのあとをついていった。階段のわきにある部屋のドアを福田くんがノックした。

「おい、はいんぞ」福田くんがドアを開けると、窓のそばにあるベッドの上に横向きに寝ている斉藤くんが見えた。

「松永連れてきた」福田くんが声をかけても、斉藤くんはぴくりとも動かない。ちょっと汚れたようにも見える白いTシャツに、黒いハーフパンツをはいて、そこから伸びた足はなんだかずいぶん痩《や》せて見えた。四畳半くらいの和室の部屋は、窓際《まどぎわ》のベッドが半分を占めていて、それ以外の床には、マンガの単行本とCDが散らばっていて足の踏み場がなかった。アニメのフィギュアとか、コスプレの衣装がないことを、あたしはすばやく目でチェックした。

「あっちーなこの部屋」と言いながら、福田くんがベッドの上に飛び乗って窓を開けた。その拍子に福田くんの足が、斉藤くんのすねをおもいきり踏んだので、斉藤くんが「てっ」と声をあげた。

「ジュース飲むか?」と、ベッドから降りた福田くんが、みかんジュースを斉藤くんの首すじに押し当てた。「つめてーよ!」と言いながら、斉藤くんが起き上がった。へへっ、と笑いながら、ベッドの端に座った福田くんは足の親指で扇風機のボタン「強」を押して、斉藤くんの首すじに当てた缶ジュースをあけた。あたしと斉藤くんは、瞬《また》く間にジュースを飲み干す福田くんを何も言えずにただじっと見ていた。

「じゃ、帰るわ」と空き缶を斉藤くんに渡して、福田くんが部屋を出ようとした。あたしが不安そうに福田くんを見上げると、「おれ、ばーちゃんの飯作らないといけないから。じゃ」と言いながら部屋から出て行ってしまった。福田くんが階段を下りていく音を聞きながら、あたしも斉藤くんもあっけにとられて、部屋のドアを見つめていた。

「なんなんだあいつ」と言いながら、斉藤くんがまた、ベッドに横になって目を閉じた。さっきより雨が強くなったのか、窓から涼しい風が入って来た。あたしは床に散らかったマンガ本の間に無理矢理すきまを作って、そこにひざを抱えて座った。窓からは、あたしの家と同じように河原のサイクリングロードが見えた。自転車に乗った小学生の集団が、大きな声で何か言いながら雨の中を走り抜けて言った。

「あのさ、あたし、昨日ネットで見たよ。斉藤くんの……」と突然言ってしまった自分にびっくりした。階段の下から、さっきの女の人のうめき声に混じって、「もう少しよ」「力を抜いて」と、斉藤くんのお母さんの大きな声が聞こえてきた。

「斉藤くんはあの写真のこととか、ネットのこととか、知ってるんだよね？」

斉藤くんは目を閉じたまま、小さくうなずいた。

「携帯に、毎日、送られてくるから」

手に持っていたみかんジュースの缶をぎゅっと握ってしまって、缶のまわりについていた水滴が床の上に散乱したマンガ本の上にぼたぼたと落ちた。あたしはバッグからハンカチを出して、その水滴をぬぐった。左右に首をふる扇風機が、雨で濡れたあたしの髪の毛を揺らす。は――とため息をついて、斉藤くんが両腕を広げた。だらんとベッドから垂れた腕の内側に青い血管が透けて見えた。あたしはベッドに近づいて、あおむけに寝た斉藤くんのわきの下に体を丸めて横たえてみた。小動物が穴のなかでそうするみたいに。目を閉じて、斉藤くんのわきの下のにおいを深く吸い込んだ。なつかしかった。斉藤くんの顔を見上げた。あごの下に、少しだけ顔を出したひげが見えた。昨日、サイトで見た斉藤くんの化粧した顔が頭に浮かんだ。あたしも、あの子みたいに大きく脚を広げて、斉藤くんとセックスしたいのに。

体を起こして、斉藤くんに顔を近づけた。髪の毛が斉藤くんの顔に垂れた。少しだけ斉藤くんの唇に触れるようなキスをした。顔が赤くなっていくのが自分でもわかった。だけど、斉藤くんはぴくりとも動かない。鼓動が早くなっているせいなのか、耳の中でシュッシュッと、血液の流れるような音がした。斉藤くんの体の上に乗り、舌を少しだけ出して、斉藤くんの上くちびるをゆっくりなめた。右から左へ。左から右へ。下くちびるも同じようにした。階段の下から聞こえるうめき声は、あえぎ声のようにも聞こえる。動画の中で斉藤くんとセックスしていた女の子の声を思い出した。下っ腹が重く、だるく、熱くなった。

体を下にずらして、斉藤くんのハーフパンツのジッパーを下げようとすると、「無理」と言いながら、斉藤くんがあたしの体を押しのけて、上半身を起こした。「悪いけど」と言いながら、斉藤くんが初めてあたしの目をちゃんと見た。斉藤くんはずっと寝ているせいなのか、まぶたが腫《は》れて、左目には目やにがついていた。「帰って」と言いながら、斉藤くんはまたベッドの上に横になった。しばらく斉藤くんを見ていたけれど、ちっとも動かなかった。ベッドから下りたあたしは床に置いたバッグを抱えて、部屋のドアを力いっぱい閉め、階段を駆け下りた。手には斉藤くんのお母さんがさっき貸してくれたタオルをぎゅっと握りしめていた。

制服が可愛《かわい》いから入りたかった私立高校に落ちて、このあたりではバカ三高と呼ばれている公立高校に入るしかなくなったとき、すっごく落ち込んでいたあたしを、パパもママも「それでも七菜はがんばったんだから」とほめてくれた。だけど、ほんとは勉強なんてぜんぜんがんばってなかった。体の小さなあたしが少しでもがんばっているところを見せると、パパもママも「がんばったがんばった。えらいえらい」とほめてくれた。

小さいころから、お兄ちゃんは勉強、七菜はかわいいんだから、とにかく笑っていればだいじょうぶ、とママはくり返し言ってた。確かにあたしが笑うと、同級生の男の子や、まわりにいる大人が、照れたような顔をしたり、とってもしあわせそうな顔をすることに、あたしは小さいころから気づいてた。あたしが、なにか失敗すると、「いいよ。七菜は座ってな」とみんなが世話を焼いてくれた。鏡に向かって笑ってみると、確かにあたしはかわいい。ママが言うように、かわいいあたしの人生には、いつもにこにこと笑ってさえいれば、何かいいことがたくさん起こるんだと信じてた。

中学生のとき、男の子からたくさん告白されたけど、つきあいたいと思う子なんて一人もいなかった。なんだかみんな、生々しくて、鼻息が荒くて、こわい感じがしたから。心の中では面倒くさいなーと思いながら、うつむいて、困ったような顔をして、小さな声で「ごめんね」と言うと、男の子のほうが「おれのほうこそ困らせてごめん」とあやまってくれた。バカ三高に入って、やっぱりまわりは、ばかみたいな男子ばっかりでうんざりだった。だけど、高校に入ってすぐ、グラウンドを半分ずつ使って男子と女子が体育の授業をしていたある日のこと、ハードルでこけて、ねんざかなんかして泣いている女の子をおんぶして全速力で保健室に運ぶ斉藤くんを見た。隣にいたあくつちゃんに、「あたしもあの人におんぶされたい」と言って笑われた。

五月になって、じゃんけんで負けてなってしまった体育祭の実行委員で斉藤くんといっしょになった。斉藤くん自身は無口だし、おとなしいのに、なぜだか斉藤くんのまわりには、いつもたくさんの人がいた。男の先輩にいきなり頭を抱えられて、「シャンプー！」と髪の毛をくしゃくしゃにされても、同級生の女の子に「さいとうー、あたしもおんぶしてよー」と背中に飛び乗られても（あたしもしてもらいたかった！）、やめてーと言いながら、でも実際はそれほど迷惑でもないような感じで、歯を見せて笑っていた。みんな、なんだかんだと理由をつけて斉藤くんに触りたいんだ、と思った。

ある日、ロッカーの上に載っているゼッケンの入った箱を取ろうと腕を伸ばしていると、突然、誰かがやってきて、赤ちゃんをたかいたかいするみたいに、あたしのわきの下に手を入れて体を持ち上げた。持ち上げられたまま、びっくりして後ろを振り返ると、斉藤くんが、「早く取りな」とあたしの顔を見ていった。廊下の向こうで、「さいとうー、ここにペンキ塗ってー」と男の子の声がした。ほこりだらけの段ボールの箱を抱えて、「ありがとう」と言うと、斉藤くんは、「小さくて軽いなー」と言いながら、廊下の向こうに歩いて行った。斉藤くんに触れられたわきの下とほっぺが、かーっと熱くなった。

生まれて初めて男の子を好きになって、生まれて初めて自分から告白した。斉藤くんもこの高校にいるくらいだから、あたしと同じくらいばかだと思うし、とりたててかっこいいわけじゃないし、いっつもうわばきの後ろをだらしなく踏んづけて、廊下をかったるそうに歩いているけど、あたしは斉藤くんのことが大好きだった。

告白したあとに、「少し待ってて」と斉藤くんは言ったけど、待ってさえいれば斉藤くんとつきあえるんだと思って、すっごくうれしかった。斉藤くんが市営プールでバイトをするらしいと聞いて、あたしもする予定のなかったバイトの面接を受けた。七菜一人でバイトなんて心配だよ、といって、なぜだか、友だちのあくつちゃんもバイトをすることになった。

斉藤くんと河原で会って、キスしたり、抱き合ったりしているとき、あたしはこの夏休みに斉藤くんと絶対セックスするんだーと思った。今年の夏休みは、絶対に一生忘れない、そんな夏休みにするんだって。だけど、あたしが大好きな斉藤くんは、あたしが知らない間に、あたしの知らない誰かと、コスプレしながらセックスしまくってた。あたしは今、斉藤くんに嫌われて、雨に濡《ぬ》れながら、とてもみじめな気持ちで自転車をこいでいる。

家に帰ると、珍しく部屋の灯りがついていて、エプロン姿のママがキッチンで料理をしていた。じゅ――っという音がして、左手で小麦粉をまぶした肉のかたまりを次々と中華鍋《なべ》に入れ、右手に持った銀色の菜箸《さいばし》で黄金色に揚がった唐揚げをバットにうつしていた。ママの後ろ姿に「ただいま」と声をかけたけど返事がない。聞こえないのかなと思って、ママに近づくと、「火傷《やけど》するから下がってなさい」と、いつもより低い声で言われた。

ママはふだん、とてもやさしい。

だけど、お兄ちゃんの成績の順位が下がったときや、パパとけんかをしたときなんか、こういう声になる。お兄ちゃんやパパには見せない顔をあたしにだけ見せる。そして、食べきれないくらいの、たくさんの料理を作る。ふと、テーブルの下を見ると、新聞紙の上に割れた皿やおかずが乱暴に置かれていた。

「お兄ちゃんと何かあったの？」ママに近づいて、背中から声をかけた。「あちっ！」油があたしの腕まで飛んできた。

「だから言ったでしょう！」ママが怒鳴るように言った。あたしはどうしたらいいかわからなくて、無駄だと思ったけれど、階段の下からお兄ちゃんに声をかけてみた。予想どおり返事はなかった。

「あの子はいいのよ、もう。自分の部屋で食べたいものしか食べないんだから。さ、早く食べなさい」とあたしのお茶碗《ちゃわん》に山盛りにごはんを盛った。あたしはママがこんな顔になると、怖くていろいろなことを話してしまう。言わなくていいことまで。

「同級生で同じバイトしている斉藤くんの家、助産院なんだよ。今日、バイトの帰りに友だちと寄ってきたの」

「助産院ねぇ……。あんなところで出産してだいじょうぶなのかしらね。病院があるのに、助産院なんかで子どもを産む人の気がしれないわ」ママは自分の作った食事には手をつけずに、あたしが食べるのをじっと見つめている。唐揚げをかじると、それはママが得意なにんにく生姜醤油《しょうがじょうゆ》の唐揚げじゃなくて、あたしが大嫌いなレバーの唐揚げだったのでびっくりした。

「ママ、これ……」

「レバーよ。七菜ちゃん嫌いだけど、女の子は毎月、血がなくなるんだから、しっかり食べないとね」後味が気持ち悪くて、口のなかに残ったレバーのかたまりを無理矢理麦茶で飲み込んだ。レバーに箸を伸ばさないで、おみそ汁とごはんを交互に食べるあたしを見て、ママがいらいらし始めた。

「七菜ちゃん。ママの生理用ナプキン使っていいんだからね。ママはもういらないんだから。……ほらぁ、もっとたくさん食べなさい。いっぱい作ったんだから」

なんで、今日のママはこんなに気持ち悪いんだろう。むくんだ顔をして、目の下のクマを黒々とさせて、メイクもしないで、あたしをぎらぎらと見つめてる。テーブルの上の料理はママの愛情いっぱいだけど、あたしは今日、愛情がゼロでもいいから一人でコンビニ弁当が食べたかった。

「たくさん食べなさいよ！」と言いながら、いきなり、ママがテーブルから身を乗り出して、あたしの頭をはたいた。小さいころから、ほんとに時々だけど、ママはあたしの頭をはたくことがあった。だけど、別に痛いわけじゃないし、あたしの頭をはたくくらいで、ママがすっきりするんだからいいと思ってた。だけど、高校生になって、ママに頭をはたかれると思わなかったので、びっくりして思わず「やめて！」と大きな声が出た。

「あたしはお兄ちゃんみたいに勉強もできないし、すっごいばかだけどさ、あたしの頭はママのストレス発散のためにあるんじゃないんだよ！　誰も食べないのにこんなにたくさん料理作ってばかみたい。料理なんて、食べちゃえば何にも残らないじゃん！」

言い終えないまま、ぱんと音がして左の頬が熱くなった。生まれて初めてママがあたしの顔をぶった。あたしはテーブルの上にあった山盛りのレバーの唐揚げが載った皿を、腕で払い落とした。皿が割れるにぶい音がした。多分、さっき、お兄ちゃんがしたことと同じことをしたのだ。あたしはスリッパで唐揚げを踏みつけながら階段を駆け上り、自分の部屋のドアを閉めた。

ばかみたい。みんな、ばかみたい。斉藤くんもお兄ちゃんも、ママも。ママの言うことなんて嘘《うそ》だよ。顔が可愛くてにこにこ笑っていたって、何にもいいことなんて起こらないよ。なーんにも。

ママにぶたれた三日後、あたしはなぜか、日向さんと、ラブホテルの部屋にいた。

「夏休み、何にも楽しいことがない」とメールしたら、あたしが前から行きたがっていた水族館に連れて行ってくれた。くらやみの中で、日向さんが好きだというイルミネーションみたいに光るクラゲをずーっと見ていたら、立ちくらみがして倒れそうになった。水族館のベンチで少し休んでいたけれど、頭がふらふらするのは治らなくて、日向さんはあたしの体を支えたまま水族館を出た。ものすごく真剣な顔をした日向さんはあたしをタクシーに乗せて、聞いたことのない町の名前を運転手さんに告げた。着いたところはホテル街だった。

「少し横になるといいよ。なんにもしないから安心して」と言う日向さんの言葉なんてちっとも信じていなかったけれど、あたしは冷房の効いた小さな部屋のベッドの上に、わざとだるそうに横になった。体調はもうすっかり良くなっていたけど、なんだかもう、いろんなことがどうでもよかった。今ここで、日向さんと初めてのセックスをしても、それはそれで、別にいいんじゃないかなんて思っていた。

「だいじょうぶ?」日向さんが水にひたしてしぼったタオルを額に載せてくれた。あたしは日向さんの腕をつかんで、日向さんの黒縁メガネの奥の目をのぞきこんだ。しばらくあたしの顔を見つめたあと、日向さんの顔が近づいてきて、あたしにキスをした。日向さんは小さく震えていた。

「七菜ちゃん、好きな子いるんだよね」

「もういいんです」と言いながら、あたしは体を起こして、日向さんにキスをした。額に載っていた濡れタオルがあたしの胸の上に落ちた。あたしはそれを手にとって、日向さんの額の汗をふいた。

「日向さんのほうが熱があるみたい」日向さんの手がシフォンのワンピースの上からあたしの胸を乱暴につかんだ。ワンピースの下には、斉藤くんと初めてセックスするときのために買った、水玉模様のかわいいブラジャーをつけていた。日向さんは、ワンピースをまくり上げ、ブラジャーをずらして、あたしの乳首を口にふくんだ。何かにせかされるように、日向さんの細くて長いひんやりした指が、下着の中に侵入し、性器全体をもみほぐすようにした。日向さんはワンピースを脱がし、ブラジャーをはずした。だけど下着だけは、どういう理由があるのかわからないけれど、完全には脱がさずに、中途半端《はんぱ》にあたしの左足に通したままにした。

「七菜ちゃん、すっごいいやらしい……」日向さんはうわずった声で、あたしの左右の足首をつかみ、ひざを曲げてMの形に左右に大きく広げた。動画のなかで、斉藤くんとセックスしていた女の子と同じポーズだ、と思っていると、ふいに日向さんの冷たい鼻先があたしの体の中でいちばん熱を持った部分に触れて、ざらざらした舌が、股《また》の間を上下し始めた。キスをされても、乳頭を舐《な》められても、何も感じなかったのに、このときだけは自分の息が荒くなるのがわかった。日向さんの舌の先っちょが、股のはじまりにある尖《とが》った一点を丁寧に舐め続ける。死ぬほど恥ずかしい。だけど、気持ちいい。コーヒーにミルクをたらしたときのように、ふたつの気持ちがくるくると渦を巻いて、あたしの中で混じり合っていく。

「う……」閉じていた口から声が漏れてしまう。

あえぎ声ってどうやって出せばいいんだろ。斉藤くんとセックスしていたあの子みたいに。息がもれるばかりで、声がうまく出ない。目を閉じて、あたしの股をなめているのは、斉藤くんなのだと想像した。コスプレをした斉藤くんではなくて、普段着の、とってもだるそうな斉藤くんを。その途端、股の間がぬるぬるしてきたのを感じた。

「ここ、気持ちがいいの？」日向さんがあたしの体に乗っかって言った。日向さんはキスしながら、中指であたしの尖った一点を円を描くようになでまわした。目を閉じたまま、あたしを気持ちよくしているのは斉藤くんなのだと想像し続けた。

突然、日向さんの体があたしから離れて、ジーンズのジッパーを下げる音がした。少しだけ目を開けて日向さんのほうを見ると、日向さんの天井を向いた性器が見えた。あんなに大きなものが、あたしのなかに入ってくるんだ、と思った。死ぬほど痛いのかな。子どもを産むのとどっちが痛いんだろう。日向さんが、上半身にTシャツを着たまま、両脚を左右に大きく開いてあたしの上に覆《おお》い被《かぶ》さってきた。その途端、熱いものが勢いよくあたしの太ももを濡らした。

日向さんはあたしの左肩の上に顔を埋《うず》めて、しばらくの間、荒い息をくり返していた。

こんなときには何と言えばいいんだろう。わからないので黙ったまま、あたしは日向さんの後頭部を撫《な》でていた。聞こえないくらいのため息をついて、「ごめん」と言いながら、日向さんはベッドサイドのテーブルに載ったティッシュペーパーの箱を片手でたぐり寄せた。さっきまであんなに熱かったのに、もうひんやりし始めているあたしの太ももの上の液体をぬぐいながら日向さんが言う。

「好きな人のこと考えてたでしょ？」恥ずかしくて日向さんから視線をそらした。日向さんがあたしの頭の上に手のひらをおいた。

「責めてるわけじゃないんだ。そんなこと……多分、誰だってするんだから」と言いながら、日向さんはティッシュペーパーを丸めて、ゴミ箱に投げ入れた。

「正直に言えば……、ぼくにも好きな子がいて、七菜ちゃんに触れながら、その子のこと考えてた。七菜ちゃんがその子だったらいいなって」同じことをしていたのに、あたしはほんの少しだけプライドを傷つけられた気持ちになった。

「松永くんと同じで、ぼくも小さいころから勉強だけが得意で、勉強だけしていれば世の中のわからないことなんて、どんどん少なくなっていくものだと思ってた。だけど、長く生きていればいるほど、わかんないことばっかりだよ。恋愛とか、セックスとか、女の人のこととか、自分のこととか……」

頭のいい日向さんがわからないんだから、世の中はあたしにはわからないものだらけなんだろうなと思った。というか、あたしは最初から何かをわかろうなんて思ったことはないんだけど。

日向さんはあたしに背中を向けて、トランクスとジーンズを順番にゆっくり身につけ、ベッドに横たわったままのあたしのそばに座った。

「お兄ちゃんはあの写真に写ってた、長野の女の人のこと、好きだったのかな?」

「多分……。生まれて初めて好きになった相手だったんじゃないかな。松永くんは、今まで彼女とかいたことないでしょう?」あたしが笑いながらうなずくと、日向さんも声を出さずに笑った。

「うぶな男子にとっては、あそこはちょっと過酷な環境だったかも」

「フリーセックスだから？」あたしがくすっと笑いながら言うと、日向さんはまじめな顔をして、またあたしの頭の上に手をおいた。

「自分の好きな人が、自分のすぐそばで、自分じゃない誰かとセックスしてるのを想像するのは誰でもつらいよ」ふと、斉藤くんとセックスしていた女の子の白い太ももが目に浮かんだ。

「ぼくは、松永くんのことは、笑ったり、ばかにしたりできないよ。どんなにばかばかしいことだと思われても、鼻先にセックスっていうにんじんをぶら下げられたら、走るしかないときがあるんだ。特に、男の子は」女の子の白い太ももをつかんで、激しく腰を動かす斉藤くんを思い出していた。

「線を引くのは難しいよ。性欲とか、恋愛の境目をきちんと分けるのは。別に分ける必要もないいんだから、なんて割り切って思えるようになればいいんだけれど」と言いながら、冷蔵庫の中からペットボトルのミネラルウォーターを出して手渡してくれた。前から気になっていたことを思いきって聞いてみた。

「日向さんも、性のてほどきを受けたの？　あの、長野の人に」

「ぼくは……、ぼくが生まれて初めて好きになった人に会いに行ったんだ。同級生の女の子だよ。……だけど、その子はもうあそこにはいないし、大学もやめてしまった。今、どこにいるのかも知らない」日向さんはペットボトルのふたを開け、ごくごくと音を立てて飲んだ。

「こんなとこに連れ込んでおきながら、ぼくがこんなこと言うのはおかしいと思うけれど。七菜ちゃんはセックスするのが初めてでしょう？　七菜ちゃんが初めてセックスする相手は、ぼくじゃないほうがいいと思ったんだ。七菜ちゃんは……、だって、その人とセックスしたいでしょう？　その好きな子と」

日向さんの口から飛び出す、遠回しの言い訳めいた言葉を聞きながら、あぁ、この人はあたしのことが別に好きじゃないんだな、とあたしは深く理解した。あたしだって日向さんのことなんか、ちっとも好きじゃないのに、なんだか生まれて初めて男の子にふられたような、みじめな気持ちになった。日向さんがペットボトルの残りを一気に飲む横顔を見ながら、斉藤くんに会いたい、斉藤くんとセックスしたいと強く思った。

突然、自分だけがまだ裸のままで、Ａカップの胸を日向さんの前にさらしていることがひどく恥ずかしくなって、シーツをあわてて胸まで引き上げた。下着は足首にひっかかったままで、あたしの性器は日向さんにねちっこく触られたまま、まだ熱を持っていた。大好きな斉藤くんとセックスしたい。したいけど、今、この瞬間は、日向さんにもっと体を触ってほしいと思った。さっきみたいに。そう感じれば感じるほど、斉藤くんのことを憎たらしく思った。シーツの下で、日向さんに脱がされたブラジャーやワンピースを、身につけていった。性欲というやっかいで小さなたまごは、あたしのなかですでに孵化《ふか》していて、それがたまごっちみたいに成長していくことを、あたしはそのときまだぜんぜんわかっていなかった。

日向さんはあたしが下りる駅までいっしょについて来てくれて、売店でビニール傘を買ってあたしに持たせてくれた。改札を出て空を見上げると、灰色の雲が低くたれこめていて、ときおり、強い風に吹かれた大粒の雨が傘にぶつかるように降ってきた。携帯を見ると、あくつちゃんからメールが来ていた。

「斉藤の例の動画の相手、どうやら年上の主婦らしい。あいつ、まじ変態！」

あくつちゃんからはあの日以来、斉藤くんのことが書かれたメールが毎日のように来ていた。正直なところ、あくつちゃんからのメールを少しだけうとましく思うようになっていた。でも、主婦ってことは、あのマンションに住んでいた人がそうなのかなぁ。あの人がコスプレして……。あたしの頭のなかは混乱していた。

橋を渡り始めると、とたんに雨と風が強くなり、橋の下を見ると、コーヒー牛乳みたいな色の水がごうごうと怖いような音を立てて勢いよく流れて行った。斉藤くんも、その主婦に、性のてほどきを受けたってことなのかなぁ。立ち止まってぼんやり考えていると、突然、カミナリが鳴って、驚いたあたしは傘を持っていた手を離してしまった。

さっき日向さんに買ってもらったばかりのビニール傘は風にあおられて、橋の下にスローモーションみたいにゆっくり落下していき、水面に到着したとたん、激しい川の流れに巻き込まれ、あっという間に流されていった。また、立て続けにカミナリが鳴った。あたしの口から思わず、きゃーという声が出た。橋の向こう側まで渡りきるのが怖くて、手のひらで耳をふさぎながら、自分の家とは反対側の方に駆けだした。

髪の毛も洋服もびしょ濡《ぬ》れのまま、あたしはさいとう助産院の前に立っていた。玄関のドアを開けて、「すみませーん」と声をかけたけど返事はなかった。少し迷ったけれど、サンダルを脱いで、階段を上がって行った。

斉藤くんの部屋のドアを開けると、斉藤くんはこの前と同じTシャツとハーフパンツで、ベッドの上に寝ていた。散乱しているマンガ本を踏みしめてベッドに近づいた。

ベッドに上がって斉藤くんの体に馬乗りになると、斉藤くんが目を開けて、驚いたような顔であたしを見た。自分が思っている以上に、あたしはびしょ濡れで、髪や服から、ぽたぽたと水滴が落ちて、斉藤くんのTシャツにしみをつくった。あたしは斉藤くんの胸をぐーにした手で叩《たた》いた。もっと力を入れて強く叩きたかったけど、うまく力が入らなかった。

「もう、あたしとはつきあえないの⁉」斉藤くんはあたしの顔を見ているけど、あたしの顔を見てないみたいだった。あたしの股の間はまだ温かく湿っていて、日向さんの指と舌の感触が残っていた。

「あたし、斉藤くんのこと好きなんだよ」といいながら、また、ぐーで斉藤くんの胸を叩いた。ドラムロールみたいなカミナリの音が遠くで聞こえた。あたしは斉藤くんのTシャツの首のあたりをつかんでゆさぶった。

「そんなにあの人のこと好きだったの？」斉藤くんが目を閉じて、少しだけ眉間《みけん》にしわを寄せてから、うなずいた。

「あんなの！　コスプレしてセックスして、写真や動画、ばらまかれてばかみたい！」Tシャツをつかんだままゆさぶると、力の抜けた斉藤くんの頭ががくがくと揺れた。

斉藤くんが手のひらで顔を覆った。泣きたいなら泣けばいいじゃん、とあたしはいじめっ子みたいな気持ちになっていた。好きだったから、と斉藤くんが手のひらの向こうで、くぐもったような声で言った。そのとき、突然ドアが開いた。斉藤くんのお母さんが斉藤くんに馬乗りになっているあたしを見て、何も言わずにあわててドアを閉めて出て行った。

「あーっと、ごめんね！」とドアの外から斉藤くんのお母さんの大きな声がして、階段を勢いよく下りていく音がしたので、あわててベッドから飛び降りて、ドアを開け、「いきなり来てすみません」と階段の下にいる斉藤くんのお母さんに頭を下げた。

「ええーっとぉ」と言いながら、斉藤くんのお母さんはゆっくり階段を上がってきて、もう一度部屋に入ってきた。あたしと斉藤くんを交互に見た。あたしは耳まで赤くなって、どうしたらいいかわからなくて、なぜだか畳の上に正座してしまった。

「ええっと、あたし、何しに来たんだっけ」といいながら、斉藤くんのお母さんは、こめかみを中指でぽりぽりとかいた。

「あぁっと、そうそう。びっくりして忘れちゃった。あはは」笑って歯が見えると、その顔はよりいっそう、斉藤くんに似ていた。さっきよりも雨がひどく強くなっているのか、窓の外から、ざ———っという水の流れる大きな音がした。

「あのね、どうもこのあたり、今晩の大雨で浸水するかもしれないんだって。今日、向こうの山のほうで立て続けに集中豪雨があったみたいで。もし、ダムの放流があったら、このあたりもちょっとまずいみたい。今、入院している産婦さんが二人いてね。一人はお産が済んでいるから家族の人に迎えに来てもらったの。だけど、もう一人はもしかしたら、今晩お産になりそうだから、早めに高台にある先輩の助産師さんの家に避難してもらった。このへん、浸水し出すと早いからね。あたしも下を片づけたら、そっちに車で向かうつもりだけど。ええっと……」

斉藤くんのお母さんが、正座しているあたしの顔を見たので、「松永です。松永七菜です」と答えた。

「七菜ちゃんの家はどこ？」

「第六小学校のすぐ近くです」

「あー、あそこ、前に家が何軒も流されたあたりだね。もしかしたら、橋も渡れなくなるかもしれないから、早めに帰ったほうがいいね。親御さんも心配するから。卓巳、あんた、今のうちに七菜ちゃん家まで送り届けてあげて。雨が強くなったら無理して帰ってこなくていいから。良太の団地に行きなさい。あそこまでさすがに水は来ないでしょ」と早口で言いながら、廊下の物入れからこの前みたいにタオルを出して、あたしに渡してくれた。

「ほら！　卓巳、早くしな。七菜ちゃん、傘だけじゃずぶ濡れになるから、あたしのレインコートと長靴も貸すからね」と言いながら、ばたばたと階段を下りて行った。

斉藤くんのお母さんが貸してくれたゴアテックスの赤紫色のレインコートを身につけて、あたしと斉藤くんは橋を渡り始めた。レインコートはあたしには大きすぎて、袖《そで》の中に腕が隠れてしまった。ぶかぶかの長靴の中には雨が入ってきて、橋を渡り始めると、すぐに爪先《つまさき》が冷たくなった。

少し前を歩く斉藤くんは、部屋で寝ていたときと同じTシャツとハーフパンツのままで、風が東のほうから強く吹くので、体の左半身が雨ですっかり濡れて、Tシャツが体にはりついていた。雨は突然激しくなったり、急に止《や》んだりした。急に暗くなった空を見上げると、カラスのような黒い大きな鳥の集団が、強い風にあおられて、バランスを崩しながら、山のほうに飛んで行くのが見えた。いつもは水量が少なくて、こんなに長い橋は必要ないんじゃないの、と思うくらいの情けない川だけど、今日は川幅いっぱいの濁った水が下流に向かってものすごいスピードで流れて行った。ときおり、木の板や、白い発泡スチロールが流れて行くのが見えた。河川敷はもうすっかり水に浸っていた。水浸しの運動場の真ん中を、ブルーのビニールシートを抱えたホームレスのおじさんが、のろのろと横切って行った。

斉藤くんは橋の真ん中に突っ立って、濁流を見つめていた。サイレンが鳴った。あたしは怖くて指を耳の穴に入れた。袖の中に雨が入ってきて、腕を伝っていくのが気持ち悪かった。橋の向こうに、斉藤くんの後を追いかけて行った古ぼけたマンションがあった。あそこに住む主婦の人だったんだ。バイトに来ない日、斉藤くんはよくばかみたいな顔をして、橋の真ん中に立っていたことを思い出した。

「その人とさぁ、もう会わないの？」斉藤くんを見上げながら言うと、顔にばちばちと雨が当たった。雨が目にしみた。斉藤くんの顔にも、雨が容赦なく当たっていた。

「もういないんだ。あそこには」わきを通り過ぎる車のタイヤが泥水を撥《は》ね上げて、斉藤くんの白いTシャツがまだらに茶色にそまった。あたしの顔にも、しぶきが飛んできた。

「飛び込んだら、らくになるかもな」その言葉を聞いた途端、あたしは斉藤くんに向かって怒鳴り散らしていた。

「死にたいならさぁ、今すぐここから飛び込めばいいじゃん。あたし、止めないから。斉藤くん、気持ちいいこともたくさんしてさぁ。よかったよね。じゃあね！」

前から降ってくる雨を傘でよけながら、橋の向こうに歩き出した途端、暗い空がフラッシュをたいたように光り、その直後におなかを震わせるようなカミナリの音がした。驚いたあたしは、ぶかぶかの長靴に足をとられ前のめりに派手に倒れた。小学生のような転び方をした自分が情けなくて、強く打った両ひざが痛くて、うつぶせたまま涙が出てきた。雨だか涙だかわからなくて、顔も服もずぶ濡れで、口の中にはあたしのわきを走り抜けていく車が撥ね上げた泥水が入ってきた。

斉藤くんのお母さんが貸してくれた傘の骨は折れて、使いものにならなくなっていた。ゆっくり起き上がって振り返ると、斉藤くんは表情のない顔であたしを見ていた。しばらくして、斉藤くんがゆっくり歩いて来て、腕をとって立たせてくれた。斉藤くんの腕につかまり、長靴を交互に脱いでひっくり返すと、思っていたよりたくさんの水が流れ出た。

「あたしさぁ、斉藤くんとセックスしたかったんだよ」

おれ、できないんだよ。斉藤くんがあたしから目をそらして言った。激しい雨の音で聞こえにくかったけれど、でも、ちゃんと聞こえた。反応しないんだよ何見ても。あの人と別れてからずっと。

まだ夕方のはずなのに、空は夜のように暗かった。通り過ぎる車のライトが斉藤くんの顔を照らした。斉藤くんの顔がくらやみのなかに白く浮かび上がって、あたしは今日、ホテルで見た日向さんの天井を向いた性器を思い出していた。

「おばあちゃんが言ってたよ。悪いことするとばちが当たるって。斉藤くん、あたしに冷たくするからさぁ、ばちが当たったんだって！」と叫びながら、好きな人とセックスしただけの斉藤くんに、罰を与える神さまがいるのかな、とあたしは思っていた。

雨に濡れたあたしの体はすっかり冷えきっていて、だけど、顔を流れる涙は温かく感じた。体から出てくる水分はいつも温かいんだな、とあたしは思った。斉藤くんはあたしの家がある橋の向こうに、あたしのことを振り返らずに大股《おおまた》で歩いて行った。斉藤くんの背中を見ながら小走りで橋を渡りきると、橋のたもとに、黄色いレインコートを着たたくさんの男の人たちが、土嚢《どのう》を積み上げていた。

「避難勧告出てるから！　速やかに第四中学校に避難しなさい！」

そのなかの一人が怒鳴った。振り返って見ると、河原はもうすっかり川になっていて、土手の高さに近づくほどに水位が増していた。山の上の空には、まるで花火のような青白いカミナリの閃光《せんこう》が見えた。いつもの見慣れた川は、今までに見たことのないような黒い太い流れになっていて、みるみるうちに水かさが増していった。お兄ちゃんが言っていたみたいに、この流れが小さな街を今にものみこみそうで、水の中に沈んだあたしの家を想像したら、背骨にそって寒気が駆け抜けていった。思わず隣にいる斉藤くんの腕をつかむと、斉藤くんの体のふるえがあたしにも伝わってきた。

河原沿いのあたしの家の前の道に出た。

土手を越えて道路のほうへ、少しずつ水が流れ落ちて行った。斉藤くんはふくらはぎまで、あたしはひざのあたりまで水につかって、斉藤くんの腕につかまりながら一歩ずつゆっくり歩いて行った。斉藤くんと同じ傘に入った。一応、傘はさしてはいるものの、あたしも斉藤くんもびしょ濡れで、もう傘の意味なんてなかった。さっきからサイレンは鳴り続けていたけれど、それ以外には激しい雨の音しか聞こえないのが不気味だった。

レインコートのポケットに入れていた携帯は、電話もメールもつながらなくなっていた。やっと、あたしの家が見えてきた。ベランダに人影が見えた。白いシャツを着て、びしょ濡れになったお兄ちゃんが双眼鏡を目にあてて立っていた。ばか、と思わず小さな声で言ってしまったあたしの顔を斉藤くんが見た。あたしは、「家、もうすぐだから」と斉藤くんに言って、心の中で、お兄ちゃんのばかばかばかばか、とつぶやき続けた。

雨に濡《ぬ》れながら、水の中を歩くのは思った以上に力が必要で、疲れと寒さで奥歯がカチカチ鳴った。あたしの家がある一角を曲がると、ほかの家の灯りはすべて消えていて、人の気配がまったくしなかった。自分の家の見慣れた玄関の灯りが見えてきた。庭全体はすでに水にひたっていて、サンダルや植木鉢の受け皿がぷかぷかと浮いていた。玄関ドアの下からも水が少しずつ家の中に流れこんでいるみたいだった。すっかり重くなって開けにくくなったドアを斉藤くんと二人で開けて、「ママー」と玄関から叫ぶと、ママが奥の部屋から走り出てきた。

「七菜ちゃん！　携帯に何度電話してもつながらないから。もう！」ママが斉藤くんを見た。

「助産院の斉藤くんだよ。送ってくれたの」とあたしが言うと、斉藤くんはぺこっと頭を下げて、じゃ失礼します、と言いながら玄関を出て行こうとした。ママがとっさに斉藤くんの腕をつかんだ。「だめよ！　今、動いたら危ない。明日の朝までには雨はやむと言っているから、ここで休んでいきなさい！」ママが大きな声で怒鳴ったので、あたしも斉藤くんもその勢いにびっくりした。

「ほかのお家の人たちはね、もう第四中学に避難しているの。だけど、七菜は帰ってこないし、お兄ちゃんが……」ママが階段の上を見た。

「とにかく上がって。服を着替えないと風邪引くでしょう」ママに促されて、斉藤くんとあたしは交互にバスルームに入り、タオルで体をふいた。乾いたタオルに鼻を当てると、いつもの柔軟剤のにおいがしてほっとした。レインコートの下でくしゃくしゃになったワンピースを脱ぐと、水玉模様のブラジャーが見えた。乱暴にホックを外して脱衣カゴの中に放りこんだ途端、激しい雷鳴が響いて照明が消えた。くらやみに目が慣れないまま着替えをすませ、廊下の壁を手で触れながら、なんとかリビングに戻ると、お兄ちゃんのジャージを着た斉藤くんとママが、外を見ながら立ちつくしていた。サッシの窓にホースで水をまいたように雨が流れていた。ガソリンスタンドの洗車みたいに、この家全体を誰かがひどく乱暴に水洗いしているみたいだった。片足を上げて、あっ、とママが声を上げた。廊下に面したリビングのドアの下から、水がゆっくり流れこんできた。今度はあたしがあっ、と声をあげた。

「ママ。お兄ちゃん、ベランダにいたよ。さっき」あたしが言い終わらないうちに、ママが階段を駆け上って行った。いつものママとは思えないすばやさだった。あたしも斉藤くんもママのあとを追った。お兄ちゃんの部屋には鍵《かぎ》がかかっていたので、あたしの部屋からベランダに出た。お兄ちゃんは、滝のように降ってくる雨に打たれながら、ベランダの上であぐらをかいていた。

「早く部屋に入りなさい！」ママの怒鳴り声が激しい雨とうなるように吹き荒れる風

の音にかき消された。あたしもお兄ちゃんの腕をとって引っ張った。お兄ちゃんの体はちっとも動かなくて、自分から部屋の中に入るつもりはないみたいだった。

「メガネやばいっすよ。カミナリ落ちたら」と言いながら、斉藤くんが無理矢理お兄ちゃんのメガネをむしり取って、あたしの部屋のベッドの上に投げた。お兄ちゃんがふらふらと立ち上がった。白いシャツが雨で濡《ぬ》れて肌にはりついていた。お兄ちゃんが川を指さして笑いながら叫んだ。

「ほら！　お母さんも七菜ちゃんも見てごらんなさい。もうすぐ土手を越えて川の水がここまでやってきますよ。この家、流されますよ。ぼくら全員、水の中にしずむんですよ」

　その瞬間、シュッとマッチをすったような音がしたかと思うと、真っ黒い空がマグネシウムを燃やしたように明るくなった。その直後、空の上にいる誰かが巨大な太鼓をいっせいに打ち鳴らしたような音がして、青白くて太い光の帯が河原の中にまっすぐ降りて行き、野球場にある大きな木の先端に触れた途端、木のシルエットを一瞬だけ、くらやみの中に浮かび上がらせた。大木の中を通り抜けた光の帯は細い糸になって、地面の四方八方に散って行った。

　斉藤くんがあたしの体の上にかぶさった。お兄ちゃんのほうを見ると、ママがベランダに立ちすくむお兄ちゃんの体を抱きしめていた。お兄ちゃんは、野球場にある大きな木のてっぺんから炎が上がっているのを、呆然《ぼうぜん》と見つめていた。斉藤くんとあたしでお兄ちゃんの腕をつかんで引っ張り、ママがお兄ちゃんの体を突き飛ばした。ママは最後に部屋に入り、サッシの鍵を閉めた。みんながみんなびしょ濡れで、荒い息をしていた。床にしゃがみ込んだママがふらふらと立ち上がったかと思うと、お兄ちゃんに近づき、頭を思いきりなぐった。

「この家で絶対に死なせないわよ。パパが建てた家なのよ。優介と七菜を守るために、パパが死ぬ気で働いて建てたのよ」

ママは腰に手を当てて、お兄ちゃんの前で仁王立ちになっていた。あたしとお兄ちゃんがもっと小さくて、ママがこうねんきしょうがいになるずっと前、いたずらをすると、このポーズをしたママにたくさん叱《しか》られたことを思い出した。お兄ちゃんはママになぐられた頭を両手で覆《おお》って、下を向いていた。

「優介を死なせないわよ！　絶対に私よりも先に死なせないから」

大きな声でお兄ちゃんを怒鳴るママは、肩で息をして苦しそうだった。カミナリが光るたびに、真っ暗な部屋が一瞬だけ明るくなった。強くなったり弱くなったりする雨の音の合間に、すんすんと鼻をすする音がした。最初、お兄ちゃんが泣いているのかと思って、お兄ちゃんの顔を見た。だけど、お兄ちゃんは泣いていなくて、泣いているのはあたしの隣にいる斉藤くんだった。ママもお兄ちゃんも驚いて、斉藤くんの顔を見た。泣くのを必死でがまんしているみたいだったけど、斉藤くんの肩が大きく震えていた。すっ、すいません、おれ、すぐ泣くから、としゃくり上げて言う斉藤くんの顔を見て、それからあたしの顔を見て、ママが少しだけ微笑《ほほえ》んだ。ぐ――っと誰かのおなかがなる音がした。「あたしじゃない！」と、咄嗟《とつさ》に言うと、ママは「わかってるわよ」と笑いながら、階段を下りて行った。あたしもママの後を追った。

いちばん下の段まで水が迫ってきていた。廊下にはスリッパやサンダルが浮いていた。あたしは、足首まで水につかりながら、真《ま》っ暗闇《くらやみ》の廊下を進み、洗面所の棚から引きずり出したたくさんのタオルを抱えて二階に上がり、お兄ちゃんと斉藤くんに渡した。お兄ちゃんは部屋の壁に、斉藤くんはあたしのベッドに寄りかかり、二人でうなだれていた。ママはペットボトルの水やお茶やジュース、缶詰を腕いっぱいに抱えて、二階に上がってきた。

「今日は夕ご飯作れなかったの。買い物に行けなくて。缶詰で申し訳ないけど、斉藤くんも遠慮しないで食べて」と言いながら、ママはさばの味噌煮《みそに》や、やきとりや、コーンや白桃なんかの缶詰を次々に開けて、床の上に置いた。あたしはパパが用意してくれていた避難用リュックの中から、プラスチックの皿とフォークを出して配った。いいにおいのするろうそくに火をつけて、みんなの前に置いた。斉藤くんが、ママが皿の上に取り分けたさばの味噌煮をかじった。お兄ちゃんは缶詰を直接手で持って、ものすごい勢いで、やきとりを口の中に入れていた。「おなか鳴ったの、お兄ちゃんじゃないの」と思いきり憎たらしく言い放ったあたしをママが目で制した。「これじゃ足りないわね」と言いながら、また階段を下りていくママの後を追った。

ママは台所に入っていくと、

「ごはんはまだだいじょうぶだと思うのよ」と言いながら、炊飯器のふたを開けた。生暖かい湯気が立ち上って、暗い台所で炊《た》きたての白いごはんが輝いているように見えた。食器棚の下の引き出しに入っていたのりは湿気でへなへなになっていたので、梅干しだけを入れた塩味のおにぎりを、ママと二人でたくさん作った。

おにぎりのほとんどは、お兄ちゃんと斉藤くんの口の中に瞬《また》く間に消えていった。何も言わずにおにぎりと缶詰を次々に食べつくす二人を見て、ママは満足げだった。部屋の真ん中で、ろうそくがゆらゆらと揺れて、ママとあたしとお兄ちゃんと斉藤くんの影を壁に映した。まるでキャンプみたい、とあたしは思った。避難用リュックに入っていたマグライトで、ママが二階から階段の下を照らした。暗くてよく見えないけれど、さっきより水の位置が上がっているような気がした。雨と風の勢いは弱まることはなくて、お兄ちゃんが言うように、この家も、この街も、水の中にしずんでしまいそうな気がした。ばかお兄ちゃんの部屋はサッシを開けたままで水びたしになってしまったので、あたしの部屋で休むことにした。

「あたしが寝ないで見ているから、あなたたち休みなさい」そういうママを「みんなで交代で見るから。ママは先に休んで」と説得して、あたしのベッドに寝かせ、あたしはベッドの下に、お兄ちゃんと斉藤くんは部屋のドアの近くに、タオルケットやシーツを床に敷いて横になった。あたしは避難用リュックに入っていたサクマ式ドロップスをなめながら、手回し式のラジオのハンドルをぐるぐると回し続けた。

「一時間に百ミリを超す雨量」「M川が危険水位を超えました」「T市で床上浸水八百七十四世帯」

ガリガリと壁をひっかくような雑音に混じって、男性アナウンサーの冷静な声が聞こえてきた。あたしは急に怖くなって、チューナーをいじって音楽が聞こえるところで止めた。昔、パパの車の中で聞いたことのあるようなゆっくりとした音楽が聞こえてきた。夏になると、パパは必ずあたしたちを連れて、海沿いの町に旅行に出かけた。うんざりするような渋滞や、苦しい車酔いや、狭い車の中の兄妹げんかを乗り越えて、海の水平線がちらちらと見え出すと、ママに怒られながら車の窓を少しだけ開けて、お兄ちゃんと競うようにして海のにおいを確かめようとした。

「なつかしいですね」お兄ちゃんが天井のほうを向いて言った。

「夏の日の恋っていう曲よ」とママがベッドに横になったまま言った。あたしはリールを巻くように、手回しラジオのハンドルをぐるぐると回し、ラジオを頭の横においた。

パパの車の中で聞いた曲が、次々に流れてきた。

そのときは退屈で、時代遅れで、超かっこわるい、と思ってたけど、今はいつまでも聴いていたかった。しばらくすると、ママとお兄ちゃんの寝息が聞こえてきた。雨は相変わらず激しく降り続いていて、さっきより風も強くなったのか、家全体が揺れていた。うう、という声がして、斉藤くんがばたんと寝返りをうった。斉藤くんの体があたしのすぐそばにあった。体を少し持ち上げて、あたしの足のほうにある斉藤くんの顔を見た。机の上に置いたろうそくの灯りが、子どもみたいに眠る斉藤くんの顔を照らしていた。

天井を向いて、手と足を思いきり伸ばすと、長いため息が出た。長い一日だった。十五歳の夏休み。あたしはまだ処女で、胸もAカップで、豪雨のなか、自分の部屋に閉じこめられている。隣には主婦とコスプレ姿でセックスしてネットで写真や動画をばらまかれて、セックスができなくなって落ち込んでいる、あたしがこの世でいちばん大好きな斉藤くんが眠っている。左を向くと、斉藤くんの足の裏があたしの目の前にあった。舌を出して、その足の裏をなめてみた。ほんの少しだけしょっぱい味がした。雨が上がったら、斉藤くんのお母さんにタオルとかレインコートを返しにいかなくちゃ。斉藤くんにどう思われても、あたしは斉藤くんの部屋にずかずかと上がり込んで、馬乗りになって、ぐーでなぐってやる。斉藤くんの目の前で、福田くんと二人でジュースの一気飲みをしてやる。あたしが、あたしに納得するまで。嫌われてもしつこく斉藤くんの部屋に通うのだ、とあたしは決心した。もう一度、斉藤くんの足の裏にキスをした。目を閉じると、深い眠りの世界にあたしは一瞬で転がり落ちていった。

「なんだってこんなものが」パパが、庭先に転がっていた赤ちゃん用のおまるを笑いながらゴミ袋の中に入れた。荒れ果てた庭には、川の上流から流れてきた、さまざまなゴミが散乱していた。そのひとつひとつをパパはゴム手袋をはめた手でつまみ上げ、片づけていった。パパは豪雨のあった日の夜中、高速道路を車で飛ばして東北から帰ってきた。連絡のとれないあたしたちに何かあったんじゃないかと心配していたのに、二階のあたしの部屋のドアを開けたら、ママとあたしとお兄ちゃんと斉藤くんが大きないびきをかいて眠っていたので、なんだか無性に腹が立った、と笑って言った。

お兄ちゃんは九月から、パパの単身赴任先でパパといっしょに暮らすことになった。大学を休学して、パパの工場でバイトを始めるのだそうだ。お兄ちゃんはあの日以来、自分の部屋から出てくるようになって、下のリビングで過ごす時間が少しずつ増えていった。ママの料理も前のように、というか、前以上に食べるようになって、ガリガリだったお兄ちゃんの体はあっという間にぷくっと肥えていった。

お兄ちゃんはさっきからリビングのテレビで、「世界の皆既日食」という番組を食い入るように見ていた。あまりに真剣なお兄ちゃんの様子を見て、パパやママが心配そうな視線を遠回しに投げかけているのに気がついたので、あたしが「お兄ちゃん、また、変なこと考えてないよね」と聞くと、「違う違う、そういうんじゃ、ありませんから」と顔を真っ赤にして否定した。あたしは丸椅子《まるいす》にママを座らせて、いつの間にかずいぶん増えたママの白髪を染めていた。地肌につかないように注意しながら、こめかみや、分け目の部分に染毛剤を丁寧に塗っていった。

「お兄ちゃんだけ何もしてないんだからさー、お昼ごはん、何か作ってよー。カレー

「でもなんでもいいから。ごはんは炊いてあるしー」とあたしが言うと、お兄ちゃんはのろのろと立ち上がって、あたしの顔を見た。

「カレーってどうやって作るんですか？」

「作り方はカレールーのパッケージに書いてあるから！　カレーも作れない人は、2035年の日食まで生き残れないんだよ！」とあたしが言うと、ママがあたしのおしりをぺしっとたたいた。

ときおり台所から、がちゃん、という音や、いたっ、とか、あつっ、というお兄ちゃんの声がした。しばらくすると、なんだか焦《こ》げ臭い匂《にお》いがしてきたので、あわててキッチンに行くと、わが家でいちばん大きなステンレスの鍋《なべ》いっぱいにカレーが煮えたぎり、ボコッボコッと大きな泡が浮かんでは消えて行った。お兄ちゃんは台所の椅子に座り、何かの本を熱心に読んでいた。あたしは無言でガスレンジの火を止めて、おたまをつっこんで鍋の底をこすった。その感触でカレーが救いようのないほど、焦げついていることがわかった。

「ばか！」と怒鳴るとお兄ちゃんがやっと本から目を離し、あたしの顔を見た。

「ぼくも時々自分のことをそう思います」お兄ちゃんがまじめな顔で言った。

にんじんもじゃがいもも、すっかり溶けきったどろどろで焦げ臭いカレーが、その日の昼食になった。

「あら、食べられるわよ」「意外にうまいぞ」パパとママは、お兄ちゃんが生まれてはじめて作ったカレーをほめまくった。この人たちもやっぱりどこか少しおかしいかもしれないとあたしは思った。ほめているわりには、パパもママもあんまり食は進まないみたいだけど。今まで食べてきたなかで、多分いちばんまずいと思うハウスバーモントカレーを、あたしは空腹に負けておかわりした。つけっぱなしのテレビから、「日本で次の皆既日食が観測できるのは、2035年」という声が聞こえてきた。2035年にあたしはいくつになるんだろう。頭の悪いあたしはすぐに計算できなかった。だけど、その年に地球が滅亡しようと、あたしは意地汚く絶対に生き残ってやると思った。セックスをたくさんして（できれば斉藤くんと）、死ぬほど気持ちのいい思いをして、たくさん子どもを産むんだ（できれば斉藤くんの）。そんなことを思いながら、三杯目のカレーを食べようとするあたしを、お兄ちゃんが珍しい動物を見るような目で見た。どこからか、一匹のトンボが飛んできて、スプーンを持つあたしのひとさし指にとまり、また、どこかに飛んで行った。夏はもうすぐ終わる。

セイタカアワダチソウの空

小学生のとき、遠足で交通博物館というところに行った。

男の子たちがガラスのケースに鼻をぴったりつけて夢中で見ていたのは、ぼくがふだん寝ている四畳半の和室の広さほどもある鉄道模型だった。ミニチュアの街の奥に並ぶ山々、ゆるやかに蛇行する川。街を囲むように走る金属の線路。駅、商店街、病院、工場、橋、バス停、そして、たくさんの三角屋根の家。

「新幹線一〇〇系だ」「スーパーあずさだ」「ナハ8編成だ」と、まわりの友だちは唾《つば》を飛ばしながら、走り去る電車を指さして興奮していたけれど、ぼくが見つめていたのは、その街のなかに点在する小さな人形たちだった。ビジネスバッグを持った会社員、駅のホームを掃除する駅員、ベビーカーを押す母親、道路工事をする作業員、田畑を耕す農夫、ランドセルを背負った小学生、ミニチュアの街のなかには、そこに住む人を模したたくさんの人形たちが点在していた。

ふと、川のそばに目をやると、上半身に灰色のシャツを着て、黒いズボンをはいた男の人形がひとつ、道路の真ん中にうつぶせで倒れていた。その人形のすぐそば、急カーブの線路の上を、黄色い特急電車が走り去っていった。ぼくは長い間、その人形を見つめていた。灰色のシャツと黒いズボンの組合せには見覚えがある。ぼくが生まれてすぐに死んだ父親が、赤んぼうのぼくを抱いた写真。その写真のなかで父親はたしか、あんな服装をしていた。

ミニチュアの街を照らす照明が少しずつ暗くなって、鉄道模型の街が夕方から夜に変化した。電柱や、駅や、三角屋根の家の窓にオレンジ色の灯《とも》りが灯った。

先生が遠くのほうから、大きな声で集合するように命令した。友だちが博物館の出口のほうに駆けだしたあとも、ぼくはしばらくその人形を見つめていた。駅員、サラリーマン、母親、小学生。正しく役割を持った人形たちのなかで、道路に突っ伏したその人形だけが役割を持っていないように見えた。

もう一度、先生がやってきて、「セイタカ、早く」と、低い声で言ったあと、ぼくの頭を拳骨《げんこつ》で殴った。セイタカというぼくのあだ名は、河原に生えているセイタカアワダチソウに由来する。クラスでいちばん背が高くて、セイタカアワダチソウの花の色と、ぼくがいつも着ている黄色いトレーナーの色がそっくり、ということで、いつからかぼくはクラスメートだけでなく、先生からもセイタカ、と呼ばれるようになった。じんと痛む頭を撫《な》でながら、模型のそばを離れる前にもう一度、その人形を見た。人形は道の真ん中で駄々をこねて、泣いているようにも見えた。大人なんだからさ、と思いながら、ぼくはその場を離れた。大人なんだから、しっかりしなよ。

駅前に並ぶスーパーマーケットとコンビニエンスストアとファストフードとチェーンの古本屋。この沿線のどの駅で下りても代わり映えのしない店が並ぶ商店街と、マンションと建て売り住宅が並ぶ、比較的新しめの住宅街。その間を埋めるようにいきなりあらわれる梨畑《なしばたけ》。目立った特徴のない小さな街をぐるりと囲むように低い山並みが続いている。

この街でいちばん大きな市民病院に続く、駅からのまっすぐな道を越えた山の奥には火葬場があって、さらにそれを越えると、部分的に舗装されたアスファルトのパッチワーク、つぎはぎだらけの道が続く。その道を山の頂上に向かって上がり、短くて暗いじめじめとしたトンネルを抜けると、ニュータウンという名前が皮肉に聞こえるほど、古ぼけた団地群があらわれる。団地のわきには学校のプールほどの大きさの汚い沼がある。団地に住む人は池と呼ぶ人もいれば、沼と呼ぶ人もいるけれど、ぼくにとってはどっちだってかまわない。だって、ただの、汚い水たまりだ。

山のてっぺんに降った雨の一部は、街の中心を流れる川に流れ込み、一部はこの沼に流れ込む。川に流れた水は、いずれ海に流れるのだろうけれど、沼に流れ込んだ雨水は、表面に油が浮いて、メタリックな虹色《にじいろ》の輝きを放っているこのどろりとした水たまりに混じって、多分、どこにも流れていくことがない。街の人たちが飼いきれなくなった金魚や亀《かめ》、死んでしまった犬や猫なんかが、この沼にはたくさん沈んでいる。そのせいなのか、西からの風が吹くと、生ゴミのような、たんぱく質が腐ったようなにおいがして、真夏は窓を開けることができない。

沼のまわりには、ヤチダモの木が生えている。

昔むかし、とても暑い日、この木の枝に首をつった人がいた。だけど、体の重みで枝が折れ、誰にも知られることなく死体は沼に沈んでいった。その三日後、溶けたチョコレートにひたしたみたいに、沼の底の泥にコーティングされた、ぶくぶくにふくらんだ死体がぽっこり浮かんできた。それが借金を苦にして首をくくったぼくの父親だ。団地には、真夏の夜明け前、シリウスが東の空に見え始めるころ、この沼のそばを歩くと、泥まみれの幽霊が出るといううわさがある。新聞配達を終えて団地に帰ってくるぼくは、幽霊の父親を一度も見たことがない。

授業を終えて団地に戻り、ぼくは自転車を抱えて五階まで上がる。自転車置き場に置いておくと、サドルが盗まれたり、自転車そのものが消えていたりするからだ。ぼくが生まれるずっとずっと前、昭和のなかばにできたこの団地には、当然、エレベーターはない。狭い階段をぐるぐる上がり、五階に到着したら、廊下にある配水管に、長いチェーンのついた錠を使って自転車をつなぎとめる。錆《さ》び付いて塗装の剝《は》がれたドアを開けると、台所のほうで水の流れる音がした。水道の蛇口から勢いよく流れた水は、流しにおかれたままの茶碗《ちゃわん》やどんぶりや皿の上に当たり、流しの前で立ちっぱなしになっているばあちゃんの洋服を濡《ぬ》らしていた。ぼくの存在に気が付いたばあちゃんが、ゆっくり口を開いた。

「おかえり良夫《よしお》」

ぼくは良夫ではない。良夫というのは首をつったぼくの父親で、ぼくの名前は、父の一文字をとって良太という。ぼくは、ただいま、と、耳のとおいばあちゃんのために少し大きな声で言い、水道の蛇口をきつくしめてから、ばあちゃんの腕をとって、テレビの前のちゃぶ台の前に座らせた。

テレビの子ども向け番組をつけると、ばあちゃんがぼくの顔を見て、にっこり笑ったので、ばあちゃんの濡れた手や服をタオルで簡単にふき、ぼくは台所に戻って炊飯器のふたを開けた。朝、大量に炊《た》いた飯は、もうすっかりなくなっていた。朝飯、ぼくが学校で食べる昼飯のおにぎり、ばあちゃんが昼飯に食べた分を差し引いたとしても、あと、もう少し飯が残っていなければ計算が合わないのだけれど。仕方がない。白めし泥棒がこの家にはいるんだ。ぼくはため息をつきながら、また、米をとぐ。流し台の下のプラスチックケースに入ったお米は残りわずかで、ぼくはまた、安い米を買いに、山の向こうのショッピングセンターに行かないといけない。

テレビをじっと見つめるばあちゃんは、テレビのなかの大きなぬいぐるみのダンスに合わせて体を揺らしている。台所のテーブルにふと目をやると、くしゃくしゃになった銀行の名前の入った封筒が置かれていた。裏を見ると、隆子《たかこ》、と鉛筆書きの文字があり、中を見ると一万円札が三枚入っていた。隆子というのはぼくの母親の名で、三万円というのは、多分、月末までこれでのりきれ、という母親からのメッセージなのだ。米が炊きあがるまでに時間があるので、ぼくはインスタントラーメンを作り、台所に立ったまま鍋《なべ》から直接すすった。ばあちゃんがテレビの前から立ち上がり、ぼくをじっと見ている。

「食べたいの？」と聞くと、ばあちゃんは力強くうなずいた。こんなときのばあちゃんはなぜだかどんな小さな声も聞き逃さない。小さな茶碗に少しだけ麺《めん》と汁をよそい、箸《はし》とともにばあちゃんに渡した。ばあちゃんは大事そうにテレビの前に座り、茶碗を大事そうに抱え、麵を箸で一本ずつひっかけて、音もたてずに、ゆっくりと食べ始めた。

ばあちゃんに、「バイトに行ってくるよ」と声をかけて、家を出た。ばあちゃんは返事をしないで、テレビの時代劇をじっと見つめていた。

朝の新聞配達、夜のコンビニバイト。その間にぼくは学校に通う。夏休みの間は、時給のいいプール監視員のバイトがあったけど、夏休みが終わってからは、朝の新聞配達と、夜十時までのコンビニバイトで毎日の生活をのりきらなくちゃいけない。ばあちゃんの年金と母親がたまにもってくる数枚の一万円札、そして、ぼくのバイト代だけが、ぼくとばあちゃんを支える生活費のすべてだ。

ぼくはさっき抱えて上がってきた自転車を再び抱えて一階に下りた。一階の部屋のドアの前で、ちあき、という名前の小学生の女の子が裸足《はだし》のまま立っていた。左のほっぺたが赤く腫《は》れている。ちあきの父親はこの団地には掃いて捨てるほどいる、昼間から大量のアルコールを飲む大人で、夕方になると子どもに暴力をふるう。殴ったり、蹴《け》ったりの合間に、その親父《おやじ》が名前を大声で叫ぶので、ぼくもその子の名前を覚えてしまった。

「ぶたれたの？」

声をかけたけれど、女の子は返事をしない。ぼくが女の子の頭に手をおこうとすると「さわるなへんたい」と大きな声を出した。ぼくはポケットの中から眠気覚ましにかむミント味のガムを一枚取り出して、ちあきの足もとにおいた。ちあきの足は薄汚れていて、足の先にはほとんど爪《つめ》がなかった。多分、はらがすいているときにかじったんだ。ぼくも経験がある。足もとにおかれたガムをじっと見つめるちあきに、「じゃあね」と言って、ぼくは自転車に乗り、沼のわきを通って山道を下りて行った。

細い山道を大量の粗大ゴミを積んだトラックが上がってきたので、ぼくはトラックをよけるために、火葬場の入り口にある駐車場に自転車を止めた。そこから見下ろすと、駅を中心にした小さな街がミニチュアみたいに見える。遠足で見た鉄道模型の街にそっくりだ。後ろを振り返ると、火葬場の細い煙突の後ろに、ぼくが住む灰色の団地群が見える。団地の子。ここに住む子どもたちは、街の人たちにそう呼ばれる。貧困とか、生活保護とか、アルコール依存症とか、幼児虐待《ぎゃくたい》とか。自己破産とか、自殺とか、一家心中とか。街の人たちが眉《まゆ》をひそめて語るような出来事が、この団地の日常だ。沼に棲《す》むオオサンショウウオのような目をした大人たちに囲まれて団地の子どもたちは大きくなる。

「ったくぅー親は何してんだよ」

コンビニのバックヤードに入ると、店長がイライラした様子で電話の子機を耳にあてていた。店長はくるくる回る人工皮革の黒い椅子《いす》に座りながら、目の前に立つ小学生三人を順番ににらみつけていた。小学三年生くらいの男二人に女一人。顔に見覚えがある。多分、団地の子だ。

「夕飯時に、どの家も電話がつながらないってどういうことなんだよ」

パチンコだな、と思いながら、ぼくは何度着ても恥ずかしいカラフルすぎるコンビニの上着をはおった。店長は乱暴に子機をソファに投げた。テーブルの上には、子どもたちが万引きした、小さな駄菓子が散乱していた。店長はセリフを棒読みするように感情を伴わない声で言った。

「コンビニは、きみたちの冷蔵庫じゃないの。欲しいもの、食べたいものがあったら、きちんとお金を払いましょう。お金を払わずにお店の外に持ち出したら、泥棒なんですよ。お母さんに習わなかったですか？」

店長が一人の男の子の腕をつかもうと腕を伸ばしたとき、その子どもがびくっと体を揺らした。隣にいる女の子は三白眼で店長をにらみ続けている。は――――と天井に顔を向けながら、わざとらしく店長が大きなため息をついた。

「明日、学校に電話するから。今日はもうとっとと帰んなさい」

ランドセルを揺らしながら子どもたちが何も言わずに出て行くと、店長は椅子をくるりと回してこっちを見た。

「団地の子には困ったもんなんだよな」

「すいません」ぼくが小さな声で言うと、

「福田くんにあやまられてもねー。おれ、子ども叱《しか》るの、っていうかそもそも子どもが得意じゃないのよねー」と言いながら、ペットボトルのコーラをごくごくと飲んだ。だらしなく座った店長のでっぷりした腹が揺れた。かろうじて留まっている制服のボタンが今にも弾《はじ》けて飛んでいきそうだ。親が酒屋をつぶして始めたコンビニエンスストアを継いだ店長は、まだ二十代のはずなんだけど、すでに頭頂部のあたりがうすくなっていて、たいした暑さでもないのに額にじっとり汗をかいている。ドアが開いて、ちーす、とバイトリーダーの田岡さんが挨拶《あいさつ》をしながら入って来た。

「田岡くぅーん」と店長が気持ちの悪い声をあげた。

「もう――――、万引き見つかったときは、子ども叱るの頼むよー。田岡くん、塾の先生だったんでしょ。そういうの得意なんじゃないのぉ」

「あ、おれ、小学生とか叱るのダメなんで」と言いながら、田岡さんは脱いだライダースジャケットをロッカーのハンガーにかけた。

「あぁ、あんた、予備校だから、高校生相手だったっけね」と店長が言ったとたんに、すみませーん、コピーがつまっちゃったんですけどー、と声がして、

「またかよ。コピー機のメンテナンスはいつ来るんだよ」と舌打ちしながら、店長が店内のほうに歩いていった。

「福田、宿題やってきた?」田岡さんが、肩まで伸びた髪の毛をゴムでくくりながら言った。

「あ、はい」

「休憩時間に見てやるから。もうすぐ中間だろ。その勉強も始めろよ」そう言いながら、掃除道具を抱えて出て行った。

高校に入ってからここのコンビニでバイトを始めて、ぼくにいちから仕事を教えてくれたのが田岡さんだった。田岡さんは二十代後半くらいの男の人で、親に任されたもののいまだにコンビニの仕事に慣れない店長に代わって、実質、店を仕切っていた。

「田岡さんが隣に立つと店長がかわいそう」とバイトの子たちが言うように、チビで

小太りで少し頭の薄くなりはじめた店長に比べると、田岡さんは身長も高くて足も長く、口は悪かったけれど、バイトの女子やパートのおばさんたちに人気があった。「あの、いかにもSっぽい一重まぶたがいいんだよ」と、大学生の女の人に言われたけれど、ぼくにはその意味がよくわからなかった。

ここでバイトを始めたころは予想以上に細かい仕事や覚えることがたくさんあって、情けないことにぼくはいちいちパニックになっていた。レジでもたもたしていたりすると、田岡さんはぼくの横に立って「深呼吸深呼吸」と言いながら、手際《てぎわ》よく商品の袋詰めを手伝ってくれたりした。なにかトラブルがあっても、黙ってひとりで解決しようとするぼくに、「何か問題が起きたり、困ったことがあったときは、すぐにまわりに助けを求めること」と田岡さんはぼくにくり返し言った。

田岡さんのことはよく知らないけれど、田岡さんにとってコンビニの仕事は多分、楽にこなせてしまう仕事で、店長が言うにはT大合格者をたくさん出すような予備校の人気教師だったのに、一体この人はなんだってこんなところで働いているんだろうとぼくは不思議に思った。

ぼくが店の前を掃除しているとき、万引きが見つかって店長に罵倒《ばとう》されて、うなだれて帰って行く小学生を追いかけていく田岡さんを何度か見た。田岡さんはお菓子やアイスを入れたレジ袋を持たせて、しゃがんだまま子どもたちの頭をなで、微笑《ほほえ》みながら何かを話しかけていた。子どもたちに手を振り、田岡さんは店に戻って来た。ぼくの視線に気づいた田岡さんは、「お父さんに叱られたあとは、お母さんがフォローしないとね」とわけのわからないことを言いながら店の中に戻っていった。

たくさん失敗をしたり迷惑をかけながら、一学期の終わりころにはなんとかお客さんを待たせないで、レジや袋詰めができるようになった。仕事内容をひととおり覚えてしまえば難しいことはなかったけれど、小学生や中学生の万引きの多さには正直うんざりした。そのほとんどが、見覚えのある顔で、ぼくと同じ団地の子どもだったからだ。

バイトを始めたときから、ぼくの小さなミスをちくちくと責め立てる中村さんという大学生がいて、万引きが起こるたびに、「おまえの住む団地のガキが」と罵倒された。ある日、万引きをした小学生を走って捕まえようとして、ぼくがレジ前にあったおでん鍋に激しくぶつかり、鍋の中身を床にひっくり返してしまったことがあった。むせるようなにおいを我慢しながら、中村さんと二人、落ちたおでんを拾い、濡れてしまった床を掃除した。ぼくがしゃがみながらおでんをゴミ袋に入れていると、おでんの汁が大量にたまった場所で中村さんが足を踏みならした。おでんの汁がぼくの顔にはねた。

「あーあー、新品のスニーカーが汁まみれだよ」中村さんが何度も足踏みをした。汁がぼくの目の中に入った。

「おまえが来てからガキの万引きが増えてんだよ。おまえが団地のガキにいろいろ教えてんじゃねえの？」

言われた瞬間、しゃがんでいたぼくは中村さんにとびかかっていた。だけど、ぼくが中村さんの頬を殴るよりも早く、左のこめかみに鈍い痛みが走った。一瞬、意識が遠くなりかけて、再び中村さんに殴りかかろうとしたぼくを、「なにやってんだ」と言いながら走ってきた田岡さんが後ろから羽交い締めにした。

「おまえだって倉庫から煙草《たばこ》、盗んだだろっ！」怒鳴る自分の声が子どもっぽくかすれて震えていて、情けない気分になった。

「んだと！　嘘《うそ》ばっかり言うなよ貧乏人」

そう言いながら、中村さんがぼくのみぞおちに蹴りを入れようとした。咄嗟《とっさ》に田岡さんがぼくの背中側から中村さんの足をつかんだので、片足立ちになった中村さんがバランスをくずし、床に落ちたおでんと汁の中にぶざまにひっくりかえった。後頭部が床にぶつかるにぶい音がした。がんもどきが、自動ドアの前に飛んで行った。

「こんな店、やってられっか！」そう言いながら、おでんの汁にまみれたコンビニの上着を脱ぎ捨て、中村さんは店の外に歩いて行った。

バックヤードで、田岡さんがこめかみを冷やすようにと濡《ぬ》れタオルを渡してくれた。

「あいつ、煙草だけじゃないけど、な」田岡さんが笑いながら言い、これ飲みな、と、毒々しい赤紫の色をした新商品のペットボトルのジュースをすすめてくれた。

「すいません。その……、団地の、子たちが……いつも迷惑かけて」

「いっつもそうやってあやまるけど、福田はあのガキの保護者でも、団地の代表者でもないだろ」笑いながら、田岡さんが缶コーヒーを一口飲んだ。こめかみがひどくずきずきした。

「福田のじゃないのか、これ」

そういいながら、おでんの汁がたっぷりしみた一枚の紙を田岡さんが指でつまみ、ぼくの顔の前に差し出した。今日、戻ってきた中間試験の英語の解答用紙だった。ズボンのポケットにつっこんでいたのを、さっきの騒ぎで落としてしまったらしい。十七点という赤い点数が、透けて見えていた。田岡さんの手から解答用紙をひったくろうとすると、田岡さんがぼくの手の届かないところに紙を掲げた。手を伸ばすと、また、こめかみがずきんと痛んだ。

「ちょっと待て」と言いながら、田岡さんは親指とひとさし指で汁のしみた四つ折りの解答用紙を広げ、机の上にあったプラスチックのバインダーにぱちんと留めた。コンビニの仕事中には見たことのないような真剣な顔で解答用紙を見つめ、

「長文はしかたないとしても、確実に点数とれるとこの単純ミスが多いなー。このあたり、単語と熟語、ちゃんと覚えただけであと二十点は確実にとれるんだぜ。中二で習う単語のスペル、間違えてどうすんだよ。ほら、ここもここも、ここも」と、ものすごく悔しそうな顔で田岡さんがぼくを見た。

「今度、教科書持ってこいよ。休憩時間に勉強見てやるから」

「勉強嫌いですからいいですよ」

「高校入ったばっかでそんなこと言うなよ。受験までまだたっぷり時間あるだろ」

「大学行かないですから。金ないし」

「……おまえ、高卒の就職率って知ってんの?……大学行かないにしたって、これじゃふだんの授業もつまんないだろ。わけわかんないまま、何時間も無駄にぼけーっと座りっぱなしで」

「授業なんてつまらないもんでしょふつう。うちの高校なんて授業中は寝てるやつば

っかですよ」

「教えてるやつが無能なんだよ」

「三高なんて、どうせ教師も生徒もばかばっかしですよ」そう言うぼくの顔を見つめる田岡さんの目が一瞬にぶく光った気がした。

「そうだなー。福田くんはこのままばか高校出て、早く結婚して、子どもポコポコ作るんだな。まー、中村みたいなアホに一生こき使われて、団地暮らしっていう人生もそれはそれで悪くないけどな」

笑いながらぼくの肩を叩《たた》いた田岡さんを心の底から憎らしく思いながら、ぼくは子どものころ見た、鉄道模型の街のなかで道路に突っ伏す男の人形を思い出していた。

そのとき初めて気がついた。

自分の将来や、自分の人生の終わりなんて、生まれてから意識したことがなかったのだけれど。今、目の前にある線路から外れずにそのまま走っていけば、途方にくれて道路に突っ伏す大人になる可能性は限りなく高いということに。

借金、パチンコ、日常的な暴力、大量のアルコールと煙草、饐《す》えたような匂《にお》いの部屋の中で、一日中消されることのない大音量のテレビ。今までなぜ、団地で見慣れた大人たちの風景に自分の将来を重ねてみたことはなかったのか、自分でも不思議だったのだけれど。

「それだけは絶対にいやです」

自分でも予想外の大きな声が出た。田岡さんがぷっと吹き出し、にやにやしながら言った。

「じゃーさー、勉強しよっかー」

翌日、バイトに出かけると田岡さんから大量のプリントを渡された。

「中学時代の復習からな。一枚、十分くらいでできるようになってるから休憩時間にやってみな」

プリントの表紙には、「福田くんの偏差値 ＋35大作戦」と、田岡さんの字ででかでかと書かれていた。英語編、と書かれた表紙をめくってみると、アルファベットの復習から始まっていた。「まずは大文字、小文字でアルファベットを書いてみよう！」というのが最初の問題だった。ばかにすんなよ、と思いながらも、ぼくはそのプリントを一枚ずつ、バイトの短い休憩時間にこなした。終わったプリントを田岡さんのロッカーに入れておくと、翌日、採点されてぼくのロッカーに返却されていた。

中学三年間分の英語と数学を、約一カ月かけてぼくは復習した。中学生レベルの問題でも、満点をとると、田岡さんが、「福田くん天才!」という文字の横に、でかい花丸をつけてくれた。ばかばかしい、と思いながらも、先生にほめられたことなんかなかったから、ぼくは少しだけうれしかった。認めたくはないけれど。いったいなんだって、今になってこんなに勉強をしているんだろ、と思いながらも。

ぼくは自分のことを生まれつき頭が悪い人間だと思っていたし、勉強なんて大嫌いだった。成績が悪いのは百パーセント自分の努力不足だと思ってた。だけど、田岡さんに勉強を教えてもらうようになってから、ぼくが勉強ができないのは、もしかしたら、ぼくのせいだけじゃなかったのかもしれないと思うようになった。田岡さんはぼくがあまりにも同じ間違いをしたり、くだらない質問を何回くり返しても、一回もいやな顔をしなかった。ぼくを途中で放り出したりすることなく、何度でも教えてくれた。ぼくが間違った問題には、プリントからはみ出すくらい、赤いボールペンで説明が書き込まれていた。

ぼくが今、何がわからないのか、どうして理解できないのか、どうしてこの問題でつまずくのか、まるでぼくの頭の中をのぞいたみたいに田岡さんは把握していた。田岡さんに勉強を教えてもらう前までは、ぼくの頭の中には中学で習ったことがてんでばらばらに散らばっていた。田岡さんはそれをふるいにかけ、いらないものを捨て、必要なものを重要度に分けて整理してくれた。中学の授業で習ったことが、田岡さんの作ったプリントを進めるうちに、ひとつの大きなかたまりになっていた。ぼくは固くて重いレンガを一個一個積み上げていくみたいに、確実に勉強を進めた。

同じ団地に住んで、同じ高校に通い、同じバイトに来ているあくつは、休憩時間にもくもくと田岡さんの作ったプリントをこなすぼくを、ストラップが大量についた携帯をいじりながら気持ち悪そうな目で見た。

一学期の期末試験の勉強も、田岡さんに教えてもらった。英語や数学だけじゃなく、国語や世界史や保健体育も。英語や数学は田岡さんが期末試験用のプリントを作ってくれた。世界史や生物は、テスト範囲にざっと目を通した田岡さんから「ここだけ完《かん》璧《ぺき》に覚えて」と、テスト範囲をまとめたプリントを渡されて、ぼくはそれを覚えるだけでよかった。

通知表をもらうとき、「学年で四番だったよー」と、みんなからのっちーと呼ばれている大学を出たばかりの女の担任が興奮した顔で言った。ぼくの通知表を勝手に取り上げて見ていた斉藤は「おまえ、いったいどうしちゃったの」と、ぼくの顔を見てぽつりと言った。

夏休みになっても、家族旅行の計画も予備校に通う予定もないぼくは、朝の新聞配達、昼間のプールのバイトのあとは、コンビニでバイトしていた。休憩時間に、ぼくは勉強を続けた。最初はひまつぶしで始めた勉強だったのに、ぼくはいつの間にか勉強することに夢中になっていた。夏休みの終わりに、「これ、今までの復習な。家帰ってからやってみ。一枚一時間以内に終わらせてな」と田岡さんに数枚のプリントを渡された。翌日、バイトの休憩時間にぼくが渡したプリントを瞬《また》く間に丸つけした田岡さんが、いつになくまじめな顔で、

「おまえさ、進学のこと本気で考えな」とぼくを見て言った。

「金ないですよ」

「そんな一言ですますなって。無返済の奨学金とか、推薦とか、極力金のかからない大学とか、いろいろあんだよ抜け道が。教えてやるから。この成績で、金がないからって理由で、おまえもったいないよ」

「……大学行ったって就職できない人いっぱいいるじゃないですか」

「おまえさ、今のままだったら、まるっきし丸腰じゃん。親が金持ちとか、特別な才能があるとか、そういうの、今のおまえに何にもないでしょ。おまえのステータス上げる大卒っていうアイテムくらい装備しておいてもいいんじゃないの。確かに万能ではないけどさ、中村みたいにただのアホでも、名前の通った大学の学生って事実は世

間じゃまだ使える武器なのよ。……よっぽどのことがない限り」田岡さんの声が少しずつ大きくなった。

「……だけど田岡さんだっていい大学出たんですよね。何だって今こんなコンビニなんかでバイトしているんですか？」小さな子どもみたいに口をとがらせたぼくを、田岡さんがじっと見た。

「よっぽどのことがあったのよ」

バックヤードのソファに座っていたあくつが携帯から顔を上げて、ぼくと田岡さんの顔を順番に見た。

「大学のことは、またいろいろ教えるから」と言いながら、田岡さんが腕時計を見た。

「ほら、二人ともバイトもうあがる時間だろ。気をつけて帰りな」

あくつとぼくは午後十時までバイトをして家に帰る。団地までの道は街灯も少なくて暗いので、「必ずあくつと二人で帰ること」と田岡さんに言われていた。自転車をこぐあくつの小さな背中を見ながら、ぼくも自転車をこいだ。さっき、田岡さんから言われた「大学」という言葉にぼくは少しだけ興奮していた。

団地の敷地内に入ると、鈴虫の鳴き声をかき消すような、テレビの大きな音が聞こえた。あくつが住む棟はぼくが住む棟から少し離れていて、照明のない駐輪場によく痴漢が出るので、ぼくは少しだけ遠回りしてあくつの住む棟までついて行くことにしていた。ずっと黙って自転車を押していたあくつが、後ろを振り向いて言った。

「セイタカ、あんた、さっきから何にやにやしてんの」高校になっても、ぼくのことをセイタカと呼ぶのは、あくつだけだ。

「別に」

「田岡に言われてうれしいんでしょ。大学、行ったほうがいいとか言われて」

「違うって」

「あいつ、気をつけなよ」あくつが口にくわえているチュッパチャプスの甘い香りがした。

「何が」

「何って。……ホモだから」

そんな噂《うわさ》はほかのバイトの人からも聞かされたことがある。田岡さんはあまり自分のことを話さないので、バイトの仲間は好き勝手に田岡さんのプライバシーを想像してひどいことを言い合っていた。店長と田岡さんができているとかなんとか。バイトの子たちがしつこく聞いた結果、分かったことは、田岡さんには彼女や奥さんはいなくて、駅の近くのマンションに一人で住んでいるってことだけだった。

ある日、田岡さんに勝手に好意を寄せているバイトの大学生が、こっそり田岡さんのあとをつけたことがあった。田岡さんのマンションを確認したあと、彼女はコンビニまで走って戻ってきて、バイト仲間に興奮して報告した。

「最近、よく新聞のチラシに入ってるじゃん。駅前の高級マンション！　うちのお母さんが言ってたけど、あそこ分譲だけなんだよ。賃貸はないの。つまり、あそこに住んでいる人はあそこを買ったってことなんだよ。どの部屋も総面積が百平米くらいあるんだよ！　それに、フロントにコンシェルジュがいるんだよ！　……田岡さんっていったい何なの！」

百平米という部屋の広さや、コンシェルジュという舌をかみそうな言葉や、彼女の言っていることはぼくにはまったくわからなかったけれど、田岡さんがぼくが住んでいる団地とは大違いの高級マンションに住んでいることはなんとなくわかった。

「田岡さんのこと、あんまりそういうこと言うなよ。証拠もないだろ」

「あんたさー、小学校のころもそんなふうな顔してたことあったよね」

あくつがぼくの顔を心底ばかにしたように見て、もう一度チュッパチャプスを口に入れた。飴《あめ》の部分をカチカチと奥歯で嚙《か》んで、上目遣いでぼくを見た。

「新しいお父さんができるんだーとかめちゃくちゃ舞い上がってさ」どこかの部屋か

ら、男の怒鳴り声と泣き叫ぶ子どもの声が聞こえた。

「結局、新しいお父さんなんて来なくてさー。セイタカ、あのあと、あたしの頭毎日ひっぱたいてたじゃん」

「……ごめん」忘れていた悪行をあくつに指摘されて動揺した。

「だからー、期待しすぎんなってこと。また頭叩かれたらたまんないもん」と言いながら、あくつは自転車を電柱に錠でつなぎとめ、パーカーのフードを揺らしながら団地の狭い階段を駆け上がっていった。

　ぼくが母親の再婚が立ち消えになったことにひどく気落ちして、あくつの頭を毎日叩いていた直後、あくつ一家は突然この団地から姿を消し、高校受験の直前に再びこの団地に舞い戻ってきた。引っ越し前に「うちのお父さん、会社の社長になるんだって！」と言いふらしていたあくつのことをぼくは笑えない。小学生のころはまだ、ぼくもあくつも親の言うことをこれっぽっちも疑わない純粋でばかな子どもだったんだから。

　家に帰ると、台所のテーブルに座った母さんが、ひどく疲れた顔をして、お茶漬けを食べていた。二週間ぶりくらいに見る母さんは、なんだか、また痩《や》せたように見えた。

「ばあちゃんは？」

「もう寝てる。あ、炊飯器に残ってたごはん、あたし食べちゃった」

お茶漬けを食べ終わった母さんは、茶碗《ちゃわん》をそのままにして煙草《たばこ》に火をつけた。

「この前、渡したお金あるでしょ。あれ返してほしいのすぐに返すから」

ぼくは何も言わずに自分の部屋に行き、本棚の上に置いたクッキーの缶のなかから封筒を取り出して、そのまま母さんに渡した。母さんは封筒の中の一万円札を確認して、小さなビーズがたくさん縫いつけられたバッグに封筒をつっこんだ。母さんは、ぼくが高校に入学してからというもの、川沿いのアパートに住んでいる恋人の部屋に行ったきりで、団地にはほとんど帰って来ない。ときどき、連絡もなく突然に、こうしてぼくの様子を見にやって来る。高校に入学が決まったとき、母さんが言った。

「あの人のアパートでいっしょに暮らしてもいいのよ」

「ばあちゃんどうするんだよ」

「ほおっておけばいいのよ。あたしが面倒見る義理もないんだから。ほうっておけば、そのうち……」ばあちゃんは死んだ父親の母親だから、母さんとは他人なのだけれど、ぼくにとっては肉親だし、母さんの代わりにぼくを育ててくれた人だ。多少は呆《ぼ》けていたって、顔も見たことのない母さんの恋人と三人で暮らすよりはまだましだ。母さんは五月の連休前に家を出て行った。母さんが出て行って、ぼくは正直なところほっとしていた。

ふと思いついて母さんに聞いた。

「母さん、ぼくがお年玉とかを渡していたお金が入った通帳はどこにあるの？」

父親が死んだときにぼくに少しだけ残してくれたというお金、今までばあちゃんがくれたお年玉。高校に入って本格的にバイトを始める前までの、ぼくの全財産。眠そうに母さんが目をこする。沈黙が続いた。母さんが指先にはさんだままの煙草の煙が流れてきて、ひどく目にしみた。

「二十歳になったら渡すわよ。あんたが子どものころから、そっくりそのまま貯金したままだもの」そう言いながら、大きなあくびをした。

「もう遅いから今日は泊めてね。明日、工場のパート早番だから。ここから行ったほうが近いから」母さんは茶碗と箸《はし》をテーブルに残したまま、いつもぼくが寝ている和室に入っていった。茶碗の中には、ひどく曲がった吸い殻が捨てられていた。

ぼくは時々、母さんに確認してしまう。ぼくの貯金なんて、もうどこにもないことをぼくは知っているのだけれど。おどおどする母さんの顔を見ると、ぼくは少しだけ安心する。腹がぐーっと鳴った。ぼくは空腹を我慢して、明日の分の米をといだ。

　斉藤が何かをやらかしたらしい、という噂は、夏休みの終わりころから、ぼくの耳にも入ってきていた。二学期が始まって、廊下や教室のすみにたむろする女子たちが、時々、ぼくのほうを見て、何か聞きたそうな顔をして、目が合いそうになるとあわてて視線をそらした。女子のひそひそ声からは、「コスプレ」「ネットで」「ハメ撮り」そんな言葉が聞こえてきたけれど、それが斉藤と関係のある言葉だなんて、ぼくはまったく気づきもしなかった。斉藤は夏休みの途中から、突然、バイトに来なくなって、二学期に入ってからも学校に来ない日が多くなった。意外なことに、斉藤は女子に人気があったから、顔を真っ赤にして「斉藤、高校やめるらしいってほんと?」とぼくに聞きにくる子もいた。

　二学期の中間試験のあと、新聞配達を終えて朝早く学校に行くと、ジャージを着た体育教師が廊下に貼《は》られた紙を乱暴にむしり取っていた。ぼくが、おはようございます、とあいさつをすると、体育教師はぼくの顔を見て、おはよう、と小さな声で言い、壁からむしり取った紙を両手でぎゅっと握りつぶし、職員室に入っていった。

　まだ八時前の教室には、誰もいなかった。むっとした空気を入れ換えるためぼくは窓を開けた。授業が始まるまで、田岡さんの作った数学のプリントをやってしまおうと思っていた。カバンに入れてきた教科書を机にしまおうとすると、一枚の白い紙が手に触れた。紙を広げると、何かの扮装《ふんそう》をした男の写真がいくつも並べられていた。紫色の白衣のようなものを着た男が、ポーズをとり、笑いもせずにこちらを見つめていた。しばらくするうちに、それが斉藤本人だということに気がついた。いちばん大きな写真には、斉藤の手前にセーラー服を着た女の白い太ももがうつりこんでいた。窓から冷たい風が吹いてきて、ぼくが手にしている紙を揺らした。女子たちがこの前から騒いでいた「コスプレ」「ハメ撮り」という意味をぼくは一瞬で理解した。

「……ばっかだなー」思わず声が出た。なぜだか、ぼくの顔はにやけていた。

「あいつほんっとにばかだなー」

ぼくと斉藤のいる一年B組全員の机の中に、斉藤のコスプレ写真が入っていたその日、学校中が大騒ぎになった。みんながみんな、手に斉藤のコスプレ写真を持ち、斉藤の噂をした。携帯で写真に撮って、どこかに送信している生徒もいた。

「見せろよそれ！」休み時間には、ほかのクラスの生徒や上級生が、一年B組にやってきて大混乱になった。「マジ気持ち悪い！」と、ヒステリックに写真をびりびりに引き裂く女子もいた。松永はゴミ袋を手に、廊下やゴミ箱に捨てられた斉藤の写真を、「回収、回収。ここに入れてねー。先生に言われたんだよー」と言いながら集めて回っていた。廊下でぼくと目があうと、松永は眉毛《まゆげ》を八の字にして、泣きたいような、困ったような顔をした。

「福田くん悪いんだけど、これ斉藤くんに渡してくれるかな？」授業が終わると、担任ののっちーに職員室に呼ばれた。のっちーは、職員室の椅子《いす》に座ったまま、茶色い髪の毛をひとさし指にくるくる巻きつけながら、茶封筒をぼくに渡した。

「修学旅行の積立金のこと書いてあるから。そう伝えてね」

「あとね……」小太りののっちーが体の向きを変えると、椅子のどこかが耳障《みみざわ》りな音を立てた。

「……福田くんさー、悪いんだけど……なんとなく斉藤くんの様子も見てきてくれるかな？　斉藤くん二学期になってから、ほとんど学校来てないでしょ。今日みたいな騒ぎもあったし。あたしもそのうち行かないといけないとは思っているんだけど。……仲いいでしょ、斉藤くんと福田くん。まず、福田くんから斉藤くんの様子聞いてからにしようと思ってさ」のっちーが、後ろめたそうな顔で、ぼくを見上げた。

「あ、今日バイトの前に行きます」と言うと、少しだけほっとした顔をして、「ごめんねー」とぼくの腕を両手でつかんだ。さらにのっちーは、ぼくの成績が急激に上がっていることを大げさにほめ、「これ、ごほうび」と、着ていた白衣のポケットから、のど飴を一つ出して渡してくれた。

のっちーにもらった、やたらにスースーするのど飴を舐《な》めながら自転車を押して校門を出ようとすると、明らかに学校関係者でない目つきの悪い中年の男二人組に呼びとめられた。

「君、何年生？　一年生の斉藤卓巳くんって知ってる？」

細長くて黒い録音機器のようなものがぼくの口につきつけられた。ストライプのシャツを着た背の高い男が、今日、みんなの机の中に入っていたのと同じ、斉藤のコスプレ写真が印刷された紙をぼくに見せた。ぼくは男が持つその紙をつかみ、丸めて道に捨てた。「何すんだよ」と怒る男の腕をつかみ、ぼくは職員室に向かって大きな声を出した。

「せーんせー！　不審者がいま――――す！」

ぼくの声に気づいたのっちーが職員室の窓から顔を出し、数人の教師とともに校門に向かって走ってきた。やっべっ、と言いながら、二人組の男があわててそばに止めていた車に乗り込んだ。自転車に乗ろうとすると、今度はテレビで見たことがあるメイド服のようなものを着た女の二人組が近づいてきた。

「あのー、むらまささまってこの学校に通っている人ですよね？」と舌足らずなよく通るアニメ声で聞かれた。こいつらも手に、斉藤がコスプレした写真を大きく引き伸ばした紙を持っていた。ぼくはコスプレ女の手からその紙をむしり取り、半分に裂いて道に捨てた。

「きゃー何すんの！　むらまさささまがー！」ヒステリックなコスプレ女の叫び声を聞きながら、ぼくは自転車に乗りその場を離れた。

いったい何がどうなってるんだ？　むらまさささまって誰なんだ？

どう考えても、今日の騒ぎのど真ん中に斉藤がいることは間違いないのだけれど。

「おい。入るよ」と声をかけながら、ぼくは斉藤の部屋のドアを開けた。夏休みに松永と来たときよりも、部屋の中はさらにとっちらかっていた。マンガ、ＣＤ、ゲームソフト、ゴミが入っているのか丸く膨らんだコンビニのビニール袋が散乱している部屋の中は足の踏み場がなく、開けたドアにぶつかったのか、乱雑に積み重ねられていたマンガ本の山が崩れ落ちていった。ベッドの上には、掛け布団《ぶとん》が盛り上がっていて、その中に斉藤が寝ているに違いないのだけれど、そこまで歩いて行くには物が多すぎた。

「のっちーがさ、これ渡してくれって。プリントここに置くよ」

　ぼくは一度も開いたことのないような真新しい教科書が重ねられた机の上に茶封筒を置いた。机のすみには、今日の昼食なのか、ラップにくるまれた茶碗や皿が見えた。茶碗に山盛りの白めしとみそ汁。コロッケとつけあわせのせん切りキャベツとトマト。腹が鳴った。

「斉藤くんはもう学校に来ないのかい？」返事はない。

「今日は大変だったよ。誰かがおまえの写真ばらまいてさ」やっぱり返事はない。

「あと変な記者みたいなのとかさ、メイド服着た女とかさ」

　盛り上がった布団のかたまりが少しだけ動き、斉藤の顔が見えた。外に出ていないせいなのか、色白の顔が透き通るようにさらに白くなっていた。髪が肩まで伸びて、あごのあたりに無精髭《ひげ》が見える。斉藤は深く眠りこけていて、軽いいびきがこちらまで聞こえてきた。足もとを見ると、真新しいゲームソフトのケースが開いたままになっていた。勉強机のすぐわきにあるテレビにつながれたゲームのコントローラがベッドの下に転がっていて、テレビの画面はGAME OVERという文字を映し出していた。窓からは十一月の秋の日差しが差し込み、すやすや眠る斉藤と、この部屋にあふれるほこりにまみれた物たちを照らしていた。

「むらまささま――」ぼくは小さな声で言った。

返事はない。

ぼくは足もとにあるマンガ本を片手でつかみ、盛り上がった布団に投げつけた。それでも起きずに、う――――んと大きな伸びをしたあとに、再び猫のように丸まった斉藤を見て、急にばかばかしい気持ちがわき上がり、ぼくは部屋を出た。階段を下りると、台所につながる大きな和室から声がした。ガラス戸からのぞくと、斉藤の母さんが、おなかがぱんぱんにふくれた妊婦さんたちの前で何かを説明していた。斉藤の母さんは腰が痛いのか、時々、しゃべりながら、右手のこぶしで腰のあたりをとんとんと叩《たた》いた。

台所のわきにある玄関に向かうと、突然、台所の流しのほうからザリガニが動くような音がして、一筋、水がぴゅっと床に飛んだ。驚いて、流しをのぞきこむと、銀色のボウルに入れられたあさりが貝を開いて水管を伸ばし、水の中で何かを探るように、うねうねと動いていた。ひとさし指でひとつのあさりの水管に触れると、そうされたことが気に入らないのか、また水を少しだけ吐いた。ボウルのわきをひとさし指で軽くはじくと、驚いたようにほかのあさりの水管も瞬《また》く間に貝の中に隠れてしまった。ぼくは、水管をだらしなく出したままにしているひとつのあさりをつまみあげて、指で貝をぎゅっと閉じた。きゅっという小さな音がして、しばらくするとうねうねと動いていた水管がだらりと力が抜けたように動かなくなった。ぼくは手にもっていた貝を手のひらに載せてしばらく見つめたあと、その動かなくなった貝をボウルに戻した。なんとなく、少しだけ満足したような気になって、ぼくはスニーカーを履き、斉藤の家をあとにした。

急に冷え込んだその日、バイトを終えたぼくとあくつは、団地までの暗い道を自転車を走らせていた。団地の敷地に続くトンネル前の道は、ゆるいカーブが続く場所で、時々、街まで近道をしようとするタクシーやトラックがスピードを上げて下りて来る。自転車を立ちこぎして道路の真ん中を走っていたあくつの目の前に、突然、トラックが猛スピードで走ってきた。クラクションが鳴った。ぶつかる！　と思ったけれど、あくつは咄嗟《とっさ》に自転車のハンドルを切り、道の左側に寄った。バランスを崩して自転車ごと派手に倒れたあくつの頭のすぐわきをトラックがスピードを落とさずに走り去っていった。ぼくも自転車を道のわきにとめ、あくつのそばに駆け寄った。

「だいじょうぶか？」と聞くと、あくつが「あんの、バカトラック！」と言いながら立ち上がった。ひじをさすってはいたけれど、大きなけがはないみたいだった。あくつが自転車の前かごに入れていたナイロン製のトートバッグが道の真ん中に転がり、携帯電話やタオルやお菓子や小さなポーチみたいなものや、クリアファイルに入った大量の紙が散乱していた。ぼくがそれを拾おうと一枚の紙を手にすると、あくつが駆け寄ってきてぼくの手からひったくった。なんだよ、と思いながら、うす暗い街灯に照らされた道の上のたくさんの紙を見た。あの写真だった。今日、一年B組全員の机の中に入っていた斉藤のコスプレ写真だった。

しゃがみこんで、あくつがその紙を拾い集めた。転んだ拍子に肩まで伸びた髪があくつの顔を覆《おお》っていた。薄いナイロンパーカーのすき間から侵入してきた冷たい風が、ぼくの体を芯《しん》から冷やした。ぼくは両手をこすりながら、ガードレールに腰かけて街を見下ろした。信号や街灯や家の灯りや、走る車のライトが見えた。ぼくがいるこの場所からは別の世界のように見えた。川のそばの家でふとんにくるまって眠りこける斉藤や、駅前の高級マンションに住む田岡さんのことを思った。冷たい夜風に吹かれている自分と、二人との距離の遠さを思うと、ぼくのなかにちくちくとした感情がわき起こってきた。すきま風の入ってこない温かい部屋でも、一日三度誰かが用意してくれる食事でも、なんでもよかった。ぼくは何かに守ってほしかった。

振り返ると団地の敷地に続くトンネルがぽっかりと口を開け、内部を照らすオレンジ色の光がぼくの胸をさらにざわつかせた。あくつは拾った紙をまとめて、クリアファイルにしまっていた。街灯に照らされたあくつの顔がくらやみの中に浮かんだ。くちびるの上が少しだけすりきれて、うっすらと血がにじんでいた。その紙、半分くれよ、ぼくはあくつに向かって、腕を伸ばしていた。あくつはぼくの顔を見て声を出さずに笑い、舌でくちびるの上をぺろりとなめた。

「自転車がない」

翌朝、新聞配達を終えて、あくつを沼のそばで待っていると、あくつがぼくのうしろからあらわれて小さな声で言った。まったくもって気は進まなかったけれど、ぼくはあくつを自転車のうしろに乗せて学校に向かった。どうか誰にもこの二人乗りを見られませんように、と心の中で強く念じながら。

始業までにはまだ一時間近くあり、門は開いていたけれど、生徒はまだほとんどいなかった。校門から入ると目立つので、ぼくとあくつは裏門から入り、早朝練習をする吹奏楽部の部員たちに気づかれないように体育館のうしろの入り口から校内に入った。

あくつから紙の束を受け取り、ぼくは一年生の教室に急いだ。あくつは二年生の教室がある二階に階段を駆け上がっていった。ぼくはA組の教室に入り込み、四十近くある机の中に斉藤の写真が印刷された紙を一枚一枚入れていった。新聞配達と同じ要領だ。遠くから吹奏楽部の練習する音が聞こえた。黒板の上にある時計のチクタクという音がやけに大きく聞こえた。顔が熱くなり、口の中が乾いて舌が上顎《うわあご》にはりついた。途中、誰かが廊下を歩いてくる気配がした。リノリウムの床の上できゅっきゅっという上履きがこすれる音が近づくたびに鼓動が早くなった。ぼくは紙の束を抱えて、机の下に隠れるようにしゃがみこんだ。ガラッとドアが開いて、ぼくのほうへ足音が近づいてきた。ぼくはできるだけ体を小さくして目を閉じた。

「次は一階のロッカーに配るよ」頭の上であくつの声がした。目を開けると、目の前にニーソックスが見え、さらに顔を上げると、あくつがばかにした顔で笑っていた。

「セイタカって昔と変わらず気ちっさいね」

あくつに渡された分を配り終わり、自分の教室に戻ろうとすると、階段の上から、早いんだね、と声をかけられた。白衣を着たのっちーだった。は、早く来て勉強しようと思って、とどぎまぎしながら答えた。

「福田くんさ、斉藤くんのあれ、もし教室とかにあったら持ってきてね。どういうつもりなんだか、わざと校内にばらまいてる生徒がいるみたいでさぁ」あ、はい、と言いながら背中をいやな汗が流れた。ふと前を見ると、廊下の奥からあくつが紙の束を抱えてこちらに歩いてくるのが見えた。

「あ、ぼっ、ぼくなんか、もう腹すいてきちゃった。なんかコンビニで買って来ようかなー」とあくつに聞こえるようにわざとでかい声で言った。自分の芝居の下手さが泣きたくなるほどつらかった。あくつはぼくの顔を見てうなずき、そのままきびすを返して、女子トイレの中に入っていった。

のっちーは右手に下げていたコンビニの袋からあんぱんとコーヒー牛乳のパックを取り出して言った。

「これ、あげるよー。あたしの朝ごはんだけど。よかったら食べて」福田くんバイトもあるんだから、あんまり無理しちゃだめだよー、と言いながら、のっちーは階段を下りて、職員室のほうに歩いて行った。ぼくは気が抜けて、のっちーの遠ざかる背中を見ながらその場にしゃがみ込んでしまった。

その日のバイトの帰り、携帯をいじりつつ、ぼくの前を歩くあくつの小さな背中を見ながら、小学校のときのことを思い出していた。ぼくとあくつは、街ではとても評判の悪い団地の子どもで、万引きをすることなんてちっとも悪いことだと思っていなかった。

万引きのやり方は、自分より年上の子どもから教わり、自分より年下の子どもに教えた。

小学校のわきにある駄菓子屋で、子どもの相手をするばあさんの目を盗んで、ぼくとあくつはポケットに小さなチョコを一個ずつ詰め込んでいた。詰め切れなくなったチョコが床にこぼれた瞬間、ばあさんがぼくとあくつの腕をつかんだ。ばあさんはぼくとあくつを、店の続きにある茶の間に引きずり入れて、正座をさせ、説教をした。ばあさんの後ろにあるでっかい仏壇に、黒い位牌《いはい》がぎゅうぎゅうに詰め込まれているのを見て、ぼくは急に怖くなった。たいして悪いとも思っていないのに、大粒の涙を流しながらすぐにあやまったぼくとは正反対で、あくつは最後までばあさんにあやまらなかった。

ばあさんは、悪い子にはお灸《きゅう》をすえないといけない、と言いながら、茶簞笥《ちゃだんす》の中からもぐさを取り出し、手早く円錐形《えんすいけい》に整えると、あくつの手の甲にのせた。そのてっぺんにマッチで火をつけた。独特のむせるようなにおいと、もうもうと部屋に立ち上る煙、あくつの皮膚にじりじり近づいていく赤い火に怖くなり、ぼくが声をあげた。ごめんなさいごめんなさい。それでもばあさんは許してくれなかった。ばあさんの黒ずんだしわだらけの手が、ひとひねりすれば簡単に折れてしまいそうなあくつの細い手首を、ぎゅっと握っていた。あくつは目を見開いたまま、赤い火種《こ》をじっと見つめていた。皮膚のぎりぎりまで近づいても目を閉じなかった。肉が焦げるようなにおいがして、あくつの腕と体がよじれた。あくつのでかい目にみるみるうちに涙がたまったけれど、ぼくみたいに声をあげて泣くことはなかった。突然、店のほうから、すみませんと声がして、ばあさんが腰を上げた瞬間、ぼくはあくつの手を握って茶の間を飛び出し、ばあさんの横をすり抜けて店の外に駆けだした。

あくつとぼくは、一言もしゃべらずに団地までの道を歩いた。沼のそばで、あくつがぼくに向かって、手を出して、と言った。あくつはスカートのポケットから、小さなチョコを取り出し、ぼくの手のひらに置いた。味の違う三個のチョコがぼくの手のひらの上にあった。いちごのはちょうだい、と言いながら、あくつはその場で包み紙をはがし、そのチョコをガリガリと嚙《か》んだ。

じゃあね、と言いながら、あくつが自分の住む棟に歩いていった。さっきは気がつかなかったけれど、ランドセルのベルトを握るあくつの左手の甲には、さっきのばあさんがつけた赤いやけどのあとだけじゃなくて、茶色く丸い何かのあとが、しみみたいにいくつも残っていた。

高校生になったあくつの手の甲にもあのあとは残っているのかな。ぼくは自転車を押しながら、あくつの横に並び、携帯をいじるあくつの手の甲を見た。だけど、暗くてよくわからなかった。

「ぼくもうやらないよ」

　自転車を押しながら、ぼくはあくつに言った。あくつが携帯から顔を上げてぼくを見た。よわむし、とあくつが吐きすてるように小さな声で言った。

「おまえさ、斉藤とつきあってる松永とすごい仲いいじゃん。なんであんなことしてんだよ」あくつは携帯を見たまま、親指でものすごい早さでメールを打っていた。

「斉藤のこと、好きなんだろ」あくつがぼくを下からにらんだ。

「セイタカもばらまいたじゃん！　共犯じゃん。自分だって、斉藤の友だちなんじゃないの。あたしに説教する資格なんかないじゃん。セイタカだって、斉藤のことねたんでるんじゃない？　おんなじ母子家庭でも斉藤とセイタカの家じゃ、ずいぶん違うもんね」ぼくは言葉につまった。

　あくつが団地に帰る道とは反対の駅のほうへ駆けだした。あくつの背中に「帰らないの？」と声をかけたぼくを無視して横断歩道を渡ろうとするあくつを、ぼくは追いかけた。

「なんでついてくんの！」あくつが前を見たまま怒鳴った。

「自転車なくて団地まで歩いて帰ったら危ないだろ」

「田岡みたいなこと言わないでよ」あくつはそばにあったマンションに入ると、今日学校で配ったものと同じ紙をカバンから取り出し、険しい顔をしながら慣れない手つきで紙を一枚一枚郵便受けの細いすき間に入れていった。ぼくは自転車を道に止め、あくつのそばに近づいた。

「貸して半分」あくつがぼくの顔をにらんだ。

「新聞配達で慣れてるから貸して。そんなんじゃ明日になっちゃうよ」

あくつの腕から紙の束をもぎ取るようにして、ポストに一枚一枚、あくつが配る倍のスピードで紙を入れていった。駅前にあるマンションを何棟かはしごして、斉藤のコスプレ写真が印刷された紙のほとんどを配り終えた。マンションの入り口を出ると、ぼくとあくつはすっかり疲れきって歩道の上にへたりこんでしまった。突然、クラクションの音が聞こえた。マンション脇《わき》の道に入っていこうとする黒いワンボックスカーが止まり、窓がゆっくり開いた。

「おまえたち何してんの」と言いながら、田岡さんが顔を出した。ぼくは立ち上がり、田岡さんの車に近づいた。「あの、バイト、です。チラシ配りの」口を開くと息が白かった。今日はなんだかうそばかりついているなと思った。

ぼくの顔をじっと見ていた田岡さんが、「家まで送るから乗れよ」と言った。どう返事をしたらいいか迷ったままのぼくが黙っていると、遠慮するなよ、と言いながら、田岡さんは車から降りて後部座席のドアを開けた。車の中はむかむかするような甘ったるい芳香剤のにおいがして、後部座席の上にはUFOキャッチャーでよく見かけるような、たくさんの小さなぬいぐるみが散乱していた。

「なんか、きもっ！」そう言いながら、あくつが突然駆け出した。

「すみません。向こうに自転車あるんで。ごめんなさい」ぼくは田岡さんに何度も頭を下げて、あくつを追いかけた。ナイスタイミング、とあくつに感謝しながら。背中のほうから、「風邪ひくなよー」と田岡さんのでかい声が聞こえた。


日曜日、朝から夕方までのバイトを終えたぼくとあくつが店を出ると、駐車場のほうからクラクションの音がした。車の窓が開き、田岡さんが顔を出した。

「乗れよ。飯おごるから」あくつとぼくは思わず顔を見合わせた。

「福田とあくつにちょっと相談したいことがあるんだよ。時間はそんなにかからないし、帰りはちゃんと家まで送るから」その場から逃げだそうとしたあくつの腕を、ぼくは咄嗟《とっさ》につかんだ。ぼくにつかまれた腕を、あくつが力まかせに振り回した。

「すぐに帰すからさ。ほら」顔は笑っているのに、少し怒ったような口調で田岡さんが言った。田岡さんがぼくらを見つめたまま、時間がじりじりと過ぎていった。田岡さんの強い視線に耐えきれずにぼくは言った。

「ばっ、ばあちゃんが待っているんで一時間だけなら」

　ぼくは腕をつかんだままあくつの体を車の中に押し込むようにして入れ、田岡さんの車の後部座席に乗り込んだ。座ったとたん、あくつがぼくの足を思いきり踏んづけた。田岡さんは口笛を吹きながら、コンビニの駐車場から車を出した。

「何か食べたいものないか？　おまえたち何が好きなの？」あくつが何も言わなかったので、ぼくがあわてて答えた。

「……あ、あの、なんでも。ぼくらなんでもいいんです」

「そういうのさ。デートで嫌われるよ」田岡さんが笑った。

　田岡さんの後ろに座ったあくつは、運転をする田岡さんの後頭部をにらみつけていた。ぼくは斜め後ろから田岡さんの横顔を見た。左耳の耳たぶにピアスの穴がいくつか開いていた。どっちの耳に穴があったら同性愛者なんだっけ、ぼくはどうしても思い出せなかった。後部座席にこの前あった小さなぬいぐるみは、ひとつも見当たらなかった。かかとに何かが当たったので、下を見ると、薄汚れたピカチュウのぬいぐるみが座席の下に転がっていた。ぼくはそれを拾って、座席の上に乗せた。

　日曜日の夕方だからなのか、道は少しだけ渋滞していた。

ふと、隣に止まった車の中を見ると、後部座席に座った小学生くらいの男の子二人がふざけ合っているのが見えた。二人の手には、ポップコーンが入った紙コップがにぎられていた。助手席に座る母親に怒られて、しばらくはじっとしているのだけれど、時間がたつとまた猫の子どものようにじゃれあった。お兄ちゃんらしき子どもが弟にしつこくちょっかいを出して、弟のポップコーンが座席に派手にこぼれた。振り向いた母親の手がお兄ちゃんのひざをたたいた。声は聞こえないけれど、母親の怒る声と、子どもの泣き叫ぶ声がこっちまで聞こえてきそうだった。

途中、モーテルの看板が見えると、そのたびにぼくはどきどきした。少し距離をおいてぼくの隣に座るあくつも、太ももの上に置いたこぶしをぎゅっと握っているのが見えた。しばらく走って田岡さんが車を止めたのは、チェーンのステーキレストランだった。

「なんでも注文していいぞ」と田岡さんは言ったけれど、ぼくとあくつがいつまでも決められないので、田岡さんが同じものを三人分注文した。しばらくするとぼくとあくつの目の前には、湯気が立ち、じゅうじゅうと音がするステーキがやってきた。口の中によだれがたまった。こんなかたまりの肉を食ったのはいつ以来だっけ、と思いながら、ぼくは肉を端から大きく切り分けた。うまかった。にんにくの効いたソース

だけで、ごはんが食べられる、と思った。肉とごはんを交互に、猛スピードで食べ進むぼくを見て、

「そんなにあわてなくても肉は逃げないから。足りなかったらおかわりして。たくさん食えよ」と田岡さんが笑った。あくつはぼくを軽蔑《けいべつ》したような顔で見た。あくつはまだナイフもフォークも手にしていなかった。

「ねえ、何考えてんの？」ずっと黙っていたあくつが田岡さんに向かって口を開いた。

「あたしたちに何かする気なんでしょ……、だって変態だもんねあんた。あたし聞いたよいろいろな噂《うわさ》」田岡さんがフォークとナイフを持ったまま、あくつを見つめた。いきなり来るね、と言いながら、田岡さんがコップの水を一口飲んだ。ぼくらのテーブルの横を、奇声を発しながら三歳くらいの子どもが駆け抜けていった。

「……今日もこれからも、あくつと福田をどうにかしようなんてまったく思ってないよ。……だから、そんな心配しないでくれよ、頼むから」だから、まず飯食おうぜ、と田岡さんは言った。

　長いこと田岡さんをにらみつけていたあくつも、田岡さんが食事が終わるまでは口を開かないと決めたことに気づいたのか、しばらくするとフォークとナイフを手に取って、ステーキを食べ始めた。ぼくらは食べ終わるまで一言も口をきかなかった。田

岡さんは食後にコーヒーを頼み、ぼくとあくつにはアイスクリームを注文してくれた。

「おれ、来年、駅前で塾を始めようと思っているんだよ」

田岡さんは、コーヒーにミルクを大量に入れながら、ぼくとあくつの顔を交互に見て言った。

「コンビニをやめて、ですか?」ぼくが言うと田岡さんはうなずき、コーヒーを一口飲んだ。

「こういう言い方するといやらしいけどさ、おれが相手にしてきた予備校の生徒って、子どもをいい大学に入れるためには、いくらだって金を使うっていう家の子どもが多いのよ。だけど、おれ、なんか、そういうの、心の底からいやになっちゃってさ。生まれつき有利なやつに加担してるみたいで。つまり、そういう家の子じゃない子の成績を伸ばしてみたいと思ったの。できるだけお金をかけずにね」

「あたしたちみたいな貧乏な子どものために?」あくつがアイスクリームのスプーンを口に入れながら言った。

「……勉強の時間や機会が著しく限られている子どもに、と大人らしく言いたいところだけど、ストレートに言うとそうかもしれない」

「アイスお代わりしたい」とあくつが言った。「ああ、もちろん。福田は?」ぼくは黙って首をふった。「クリームソーダも」あくつが続けた。「どうぞどうぞ」と笑いながら、田岡さんはウエイトレスを呼んだ。

「おれが作ったプリントで福田が一生懸命勉強してくれて、成績もけっこう上がったじゃん。おれ、あれでちょっと自信出たんだよ。あのプリント、わかりやすかっただろ？」はい、とぼくは答えた。

「こういう言い方をして申し訳ないけれど、中学生レベルの勉強でつまずいたまま高校生になっちゃった福田やあくつくらいの学力レベルの子が、どういう間違いをするのかとか、どこでつまずくのかとか、もうちょっと詳しく知っておきたいんだよね」

空になった田岡さんのカップにウエイトレスがコーヒーを入れにきた。

「……で、ここからが本題なんだけど、おれの作ったテキストとかプリント、福田とあくつに読んでもらったり、問題を解いてもらって、ここがわかりにくいとか、ここの説明がもっと欲しいとか、そういう情報を知りたいわけ。福田がやったみたいに、あくつにも中一のプリントから始めてもらって、どこでつまずいたのか、とか、おれがどうやって説明したら、あくつがわかるようになるとか、そういうことをくわしくチェックしたいんだよ。一枚……そうだな、二枚やってくれたら、今のコンビニの時給分くらいを払うってことでどうかな？」いきなり始まった田岡さんの話がよく飲み込めず、ぼくとあくつはぽかんと口を開けたまま、田岡さんの顔を見つめていた。

「……二枚やったら、コンビニの時給一時間分？」あくつがストローを口に入れたまま言った。「そう。だけど、ただ読んだり、問題をやるだけじゃなくて、ここをこうしたほうがいいっていうあくつの意見をたくさん聞かせてほしいんだよ」

「それはつまり、……勉強すればするだけお金がもらえるってこと？」

「悪い話じゃないと思う。来年の春に塾を始めるようになったら、そっちも手伝ってほしいんだよ。今みたいに長い時間、夜遅くまでコンビニで働くよりいいだろ。それに、福田とあくつの勉強、もし……、もしもだけれど、福田とあくつが本当に行きたいと思うなら、大学受かるまではおれがきちんと面倒みる」一気に話すと、田岡さんはコーヒーではなくて、グラスに入った水をごくりと飲んだ。

「……大学」あくつが小さな声で言った。

「そうだよ。あくつだっておれが勉強教えて、今から準備すれば十分間に合う。勉強しながらバイトもできるんだし」さっきのウエイトレスがやってきて、みんなのグラスに水を注いでいった。

「あんたが言ってるのは、あたしみたいなばかな子の気持ちがわからないから、それを教えてくれってことだよね。いい話なのか、悪い話なのか、ばかにされてるみたいであたし、いまいちよくわかってないんだけど……あたしにできるのかな、それ」

「もちろん。いきなりたくさんじゃなくていいんだ。最初はコンビニのバイトを一時間減らして、家でプリントを二枚やるとか、負担のないようにやってほしいんだ」

勉強嫌いのあくつがそんな申し出を受けるわけないと思っていたので、「……いいよ。少しなら」とあっさり答えたとき、ぼくは驚いた。この前は、期待しすぎるな、とぼくに言ったくせに。

「福田はどうする?」

「ぼくは……、少しだけ考えてみてもいいですか」あくつとは反対にぼくは慎重になっていた。ぼくやあくつとの間の距離をどんどん縮めてくる田岡さんのことを、信用していいのかどうか迷っていた。わかった、と、田岡さんは腕時計を見て言った。

「あともう少しだけつきあってもらってもいいかな」

田岡さんはステーキレストランを出たあと、最近できたショッピングモールの駐車場に車をとめた。ジングルベルを口笛でふきながら、田岡さんはぼくたちの先頭に立って、おもちゃ屋さんに入っていった。幼稚園くらいの子どもなら十人は入るんじゃないかと思うくらいの巨大なカートをぼくとあくつに渡した。

「クリスマスに兄貴に子どもが産まれるから、出産祝いを選んでほしいんだ。あと、欲しいものがあったらカートに入れていいぞ。今日、無理につきあってもらったお礼に」

きゃ――と奇声をあげながら、あくつは店の奥に走って行った。ぼくはカートを押しながら、店内の明るすぎる照明に慣れずに目をしばたたかせていた。しばらくすると、あくつが駆けてきて、赤ちゃん用のおもちゃの箱をふたつ、カートに投げ入れ、また、店の奥に駆けていった。ちゃんと選んだのかよーと田岡さんが箱を見て笑った。

店の棚にはぼくが小学生のころ、のどから手が出るほど欲しかったおもちゃがたくさんあった。変身ベルト、超合金のロボットやジグソーパズル。子どものころ欲しかった、というのは間違いだ。ぼくは今でもそれが欲しかった。十五歳なのに。

「おっ、懐《なつ》かしいなNゲージ」田岡さんが鉄道模型売り場で足をとめた。

「親父《おやじ》が好きでさー鉄道模型。すごい凝り性の親父だったから、勝手に触るとめちゃくちゃ怒られたなー。福田、このNゲージベーシックセットって欲しくない？」

「施し、みたいなもんですか？」え？　と、鉄道模型の箱を持ったまま、田岡さんがぼくの顔を見つめた。

「ボランティアですか？　田岡さん、山の向こうのでかい病院の息子なんですよね。パートの佐々木さんが言ってましたよ。……あんな立派なマンションに一人で住んで、ほんとうは別に、コンビニなんかで働かなくたっていいんでしょ。気まぐれに、今日みたいに、ぼくとかあくつとかにやさしくして。飯食わしたり、なんか買ってやるって言ったり。勉強教えてくれて、うれしかったけど。なんかぼく、居心地悪いです。なんか田岡さんにしてもらった分、田岡さんに返さないといけないのかなって気になりますよ」

上機嫌だった田岡さんの顔から笑顔が消えた。田岡さんは手にしていた鉄道模型の箱をカートに入れながら言った。

「おれは確かに病院の息子だけど。塾始めるために貯金はたいてマンションの頭金払って、残り何十年のローンもおれが払っていくんだけど。……ま、別にいいかそんなことどうでも」

いつの間にか、あくつがおれの横に立っていた。手には小さなうさぎのぬいぐるみと、きらきら光るシールを何枚か持っている。「これだけでいいのかよ。遠慮するなよ」と言いながら、田岡さんはレジの横にあったグミやクッキーの袋を乱暴につかみカートに入れた。あくつの少しだけ上気した顔を見ながら、ぼくはうまく言葉が出てこなくて、黙ったまま田岡さんの車に乗り込んだ。

帰り道は来たときよりも渋滞していた。あくつがグミの袋をあけた。車の中に人工的な甘い香りが広がった。「食べる?」とあくつが袋を差し出したけれど、ぼくも田岡さんも黙ったまま、首を横にふった。あくつはしばらくすると、うとうとし始めた。「寝たか?」田岡さんが聞いた。はい、とぼくが言うと、「腹がいっぱいになったら眠くなるのは人間として正しいな」と笑った。

「少し話をしてもいいか?」と田岡さんが後ろを振り向いて言ったので、ぼくは黙ったままうなずいた。

「おれさ、子どもに勉強教えるの大好きなんだよ。勉強がわからない子どもの頭の中を整理してやってさ、その子がわかったって顔するの見るとさ、なんかすっごくうれしくなるんだよね」車がほんの少しだけ前に進んだ。

「学校の教師みたいな公務員には向いてないし、だから、予備校の教師になったんだけど、おれはこのあたりの予備校や塾ではやとってもらえないんだよ。……あくつが言ってたみたいに、おれには悪い噂があるからさ」車は少し進んでは止まり、そのたびにうつむいて深く眠っているあくつの体が前後に揺れた。

「……自分で言うのもなんだけど、おれが予備校の教師をしていたころ、生徒には結構人気があったんだ。いい大学にたくさんの生徒を入学させて、学校側からも生徒の親にも信頼されてた。だけど、突然、予備校をクビになった。表向きは生徒の個人情報が山ほど入ったＵＳＢメモリをおれが紛失したっていう理由で」田岡さんがつけたカーラジオからクラシックのピアノ曲が流れてきた。

「だけど、実際は盗まれたんだ。おれのカバンの中から。予備校の教師って、なかなか競争の厳しい世界だからさ。本当の理由はわからないけれど、盗んだやつはおれが新学期用に用意していたテキストやプリントを見たかったんだろうな。……だけどまあ、そのＵＳＢメモリの中には、盗んだやつを喜ばせるような写真がたくさん入ってて」

「写真って……」

「子どもの……」そう言ったまま、ずいぶんと長い間、田岡さんは黙っていた。「男の子どもの裸の写真だよ」今度はぼくが何を言ったらいいのかわからなくなって、ずっと口を閉じていた。橋の手前で車は止まったまま、ちっとも前に進まなくなった。

「そんな趣味、おれが望んだわけじゃないのに、勝手にオプションつけるよな神さまって」

鈴の音が突然聞こえてきた。カーラジオから流れてきたクリスマスソングだった。

「予備校の教師や生徒たちの間におれの噂《うわさ》はあっという間に広まった。そのうち、おれが昔、どこかの街で子どもにいたずらしたとかなんとか、噂にそんな尾ひれもつき始めた。実際におれは子どもの裸のファイルを持っているような人間だからね。まわりの人間に何言われたって仕方がないよな。……塾を始めたら、また、そんな噂はすぐに広まるだろ。噂を流す側の人間は、そういうタイミングを絶対に見逃さないからな」

ぼくはあくつと二人で配った斉藤のコスプレ写真を思い出して、少しだけ胸の鼓動が早くなった。

「でかい病院の息子で、自分で言うのもなんだけど頭も顔もそれなりによくて、教師としても有能な男が子どもの裸の写真見て興奮してるなんて、狭苦しい街で退屈しまくってる人たちにとっては、こんなにおもしろい話はないよな」

車の列が急に進み始め、田岡さんの言葉が途切れた。ラジオの曲が讃美歌《さんびか》に変わった。

「……だけど、おれが毎日どんなに」言葉の続きを待ったけれど、田岡さんは口を閉じたままだったので、ぼくも黙ったまま、シュワキマセリと繰り返す歌にじっと耳を傾けていた。橋の途中でまた車は動かなくなった。田岡さんが振り返って言った。

「…………こんなおれに説教されても納得できないかもしれないけど。あくつとおまえ、もうあれ、配ったりするのやめろよ」車が進み始めたので、田岡さんが再び前を見てアクセルを踏んだ。ぼくは息苦しさを感じて、窓を少しだけ開けた。前を向いたまま田岡さんが言った。

「あくつ、店のコピー機にあの紙、忘れていったぞ。同じ紙持って、店にも変な二人組が取材に来たんだよ。おまえたち、おれのマンションのポストにも入れただろ。そんな暇があるなら、あの団地から最短で抜け出す方法考えろよ」

はい、と言ったまま、ぼくはうつむいた。

子どものころから、学校の先生や、まわりの大人たちにどんなに叱《しか》られても、ぼくは心から悪いと思ったことなんて一度もなかった。だけど、田岡さんに言われて、ぼくは初めて、自分のやったことを恥じた。

田岡さんの車はいつの間にか、団地の敷地の前に到着していた。ぐっすり眠っているあくつをゆすって起こし、ひきずり出すように車から下ろした。田岡さんは、少し早いけどクリスマスプレゼントだ、と言って、きれいにラッピングされた鉄道模型の大きな箱をぼくに渡してくれた。「歯みがきして早く寝ろよ」と田岡さんは車の窓から顔を出して大きな声で言い、街へ戻って行った。

親でもないのに自分の将来のことを真剣に考えてくれる田岡さんという人間が、単なる金持ちの息子だとしたら、ぼくは田岡さんのことをそれほど信用しなかったと思う。田岡さんという人間が抱えているほの暗さに、団地育ちのぼくはなぜだか親しみを覚えたのだ。

考えたすえに、ぼくは田岡さんの手伝いを、まずは一カ月だけやってみる、ということにした。あくつとぼくはコンビニのバイトを二時間早く切り上げ、自宅で勉強するようになった。家だと絶対テレビを見ちゃうから、というあくつに誘われ、ファミリーレストランで待ち合わせて、いっしょに勉強することもあった。ドリンクバーの代金はあくつが払ってくれた。

「ねぇ。これ何て読むの?」あくつがプリントを差し出した。

「それ、中一で習う漢字だぞ」

「この漢字が読めない、って書いておこう」と、あくつはすでに、真っ赤な文字で埋まっているプリントの余白に、さらに細かい文字を書き足した。

「もうこんな時間か。ぼく晩飯作らないと」あ、これ、と言いながら、あくつがバッグの中からお弁当箱を出した。

「お母さんがこれ、セイタカのおばあちゃんに、って」ぼくの顔を見ずに、プラスチックの弁当箱を差し出した。「かぼちゃの煮物だって」と言いながら、あくつは乱暴に消しゴムを動かした。手でおさえていたのに紙はくしゃくしゃになった。ありがと、と言いながら、弁当箱を持つと、まだ温かかった。

実際のところ、コンビニのバイトが短くなって夕飯時に家にいられるのは、ぼくにとっても大助かりだった。ばあちゃんはぼけが進んでいるのか、夕方過ぎになると、ぼくが台所でねぎなんかを刻んでいるすきに、靴もはかずに家を飛び出してしまうことが多くなったからだ。ぼくが探しに行くと、ばあちゃんは沼のそばにあるベンチに座り込んでいたり、駐輪場でしゃがみこんで、口の中でぶつぶつ何かをくり返していた。ばあちゃんの枯れ枝みたいな腕をとって、家に帰ろう、と連れて帰ると、素直についてくるのだけれど、またしばらくすると外に出て行ってしまう。夕方から布団《ふとん》に入るまで、何度もそれをくり返すようになったので、ぼくは玄関のドアに鍵《かぎ》をかけた。けれど、ばあちゃんは夜更《よふ》けになると目を覚まし、錆《さ》び付いたドアをどこにそんな力があるのか、と思うくらいの強い力で叩《たた》き続けた。

「ばあちゃん、近所めいわくだろ」と言うと、ばあちゃんはぼくの顔を見て、「良夫がいない」と泣きそうな顔で言った。

ぼくの家のポストには、家賃や国民健康保険料や光熱費の支払いを催促する手紙や、高校の授業料滞納のお知らせに加え、母さんの名前あてで消費者金融からの手紙が混じるようになった。しばらくすると、借金の返済を迫る電話が夕飯時にかかってくるようになった。家賃と光熱費と高校の授業料は、母さんが支払う約束になっていた。ぼくは母さんの携帯に電話した。電話は通じなかった。

ばあちゃんとぼくが食べていくには、ぼくのバイト代でぎりぎりどうにかなっていたけれど、ばあちゃんの旺盛《おうせい》な食欲を満たすためには、たくさんの食料品が必要で、それがじわじわとぼくとばあちゃんの生活を圧迫し始めた。夜には借金取立ての電話が何度も鳴った。ぼくは電話線を引き抜いて勉強を続けた。

ばあちゃんはぼくが昼間学校に行っている間も、ドアの鍵を開けて団地の敷地内を徘徊《はいかい》しているらしかった。ある日、なぜだか鍵が開いたままになっていた下の部屋に入り込んで、冷蔵庫を開け、中に入っていたハムや牛乳を勝手に食べてしまったことがあった。

ぼくが家に帰った途端に、下のおじさんに怒鳴りこまれ、ばあちゃんを迎えに行くと、ばあちゃんは他人の家のテレビの前に座り、せんべいをかじり続けていた。「今度やったらばばぁを沼にたたき落とすからな」と、おじさんは怒鳴ったものの、テレビを大声で笑いながら見るばあちゃんと、疲れきったぼくの様子を見て、おまえんとこの母ちゃんは何してるんだ、と声をひそめてぼくに聞いた。

ある日、学校から帰って、米をとごうとすると、米を入れたプラスチックケースの中にしまっていた通帳と印鑑がなくなっていた。おまけに米も、朝見たときよりも明らかに少なくなっていた。ぼくは慌《あわ》てて自転車に乗り、財布に入っていたカードを使い、ＡＴＭで残金を確認した。

ぼくが少しずつ貯《た》めてきたバイトのお金がすべて引き出されていた。ぼくはそのまま、母親が住んでいるはずの川沿いのアパートまで自転車を走らせた。カンカンと耳ざわりな音を立てながら、金属製の階段を上り、部屋の前まで来ると、前見たときにはあった表札のプレートから、名前が消えていた。ほんの少しだけ開いていた台所の窓から中をのぞくと、家具らしきものは一切なくなっていて、窓に薄汚れたクリーム色のカーテンだけがかかっていた。

夕飯を腹いっぱい食べさせても、ばあちゃんは一時間もすると、おなかが空《す》いた、と大声で叫んだ。今のばあちゃんに、「さっき食べただろ」なんて説明はまったく無意味だった。もう一度米を炊《た》いて、おにぎりを作って食べさせた。米が残り少なかった。ぼくの食欲よりも、ばあちゃんの空腹を優先させた。

無理だとわかっていたけれど、空腹をまぎらわすために、ぼくは数式を解き、英単語を頭に叩きこんだ。うっかり玄関の鍵をかけ忘れた日は、勉強に集中している一瞬のすきに、ばあちゃんは家を飛び出していた。空腹で力が出なくて、ぼくはすぐにばあちゃんを探しに行くことができなかった。すり切れた畳の上に寝転がった。ふと、押し入れの天袋に入れっぱなしになっている田岡さんがくれた鉄道模型のことを思い出した。包み紙を破り、箱を開け、ぼくは畳の上で線路をつなげてみた。電源装置を接続させてレバーを倒すと、のぞみが動きだした。短い線路の上を、うるさい音をたてててぐるぐる回った。ただ、それだけだった。子どものころ、あんなに欲しかったおもちゃなのに、ちっとも楽しくはなかった。ぼくは電源装置をオフにして、また寝転がった。建て付けの悪い窓からすきま風が音を立てて侵入してきた。もしかしたら、ばあちゃんは一人で帰って来るかもしれない、とほんの一瞬考えたけれど、ぼくはすぐにあきらめ、ふらふらする体でばあちゃんを探しに出かけた。

朝、新聞配達を終えて学校に着くと、斉藤が自分の席に座っていた。教室に入ってきたクラスメートはぎょっとした顔をして、そのあとは斉藤の存在をまるっきり無視するか、遠巻きに斉藤の様子を観察していた。ぼくと同じように、みんな、どんなふうに斉藤に接していいのかわからなかったのだ。

休憩時間には、松永が斉藤の席にやってきて、一方的に何かを話しかけていた。斉藤は松永の顔を見ずに、あいまいな顔をしてうなずいていた。松永が教室に帰り、斉藤がぼくの机に近づいてきた。プリントありがとな、と小さな声で斉藤が言った。「おまえ、保護者がたくさんいていいなぁ」とぼくはせいいっぱいの嫌みを言ったつもりだったけど、斉藤はただ、ぼくの顔をじっと見つめているだけだった。

「愛しあうご両親がいたからこそ、あなたたちはここにいるのよ」

その日の午後は、最近テレビによく出ている産婦人科の医者がやってきて体育館で講演を聞くことになっていた。やたらにえらの目立つ、でっぷり太った中年の女の医者が、避妊や中絶やＡＩＤＳや、命の大切さについて、べらべらと話し始めた。当然のように誰も話なんかまじめに聞いていなくて、居眠りをするか、マンガを読むか、携帯をいじっていた。

「神さまは越えられると思う人にしか試練を与えません」

クリスチャンだというその女の医者はだんだん自分の話に酔って声が大きくなっていった。ときおり、ガー、ピーとマイクが耳障《みみざわ》りな音を立てた。

後ろのほうがやけにざわついているので振り返ると、斉藤が両脇《りょうわき》に座る男子生徒たちに頭をこづかれていた。「おまえもちゃんと避妊したのかよー」「おまえの子ども、どっかにいるんじゃねーの」などと言われながら。斉藤はぼくが今まで見たことのないような強《こわ》ばった顔をして前を見つめていた。どこからか、薄汚いうわばきが飛んできて、斉藤の後頭部を直撃した。それに気づいたほかの生徒も、うわばきや丸めた紙くずを斉藤に投げ始めた。それでも斉藤は何も言わず、じっと前を見たまま座っていた。ぼくは立ち上がって生徒たちが座っているパイプ椅子《いす》を強引にかきわけ、斉藤に近づいた。にやにやと笑いながらひとさし指で斉藤のほほをつついている男子生徒のあごを、下から思いきり殴り上げた。男子生徒はパイプ椅子に座ったまま、あお向けにゆっくり倒れていった。

「どんな子どもも、自分を育ててくれる親や、自分の人生を選んで生まれてくるんですよ」

壇上では医者が声を張り上げていた。その声を聞いて、ぼくはぼくの中から次々と生まれてくる暴力の衝動を止められなくなった。音叉《おんさ》が響くような耳鳴りがして、医者の声も、まわりの生徒がはやしたてる声も聞こえなくなった。ぼくが暴れるのを止めようとした生徒や、斉藤を指さして笑う生徒を、ぼくは次々に殴り、蹴《け》った。泣きそうな顔をしたのっちーと体育教師がぼくに近づいてきて、体育教師がぼくを羽交い締めにしたまま、体育館の出口に引きずっていった。ひゅ――っという生徒たちの歓声と口笛が聞こえた。どいつもこいつも、ほんとうにばかばっかりだ、とぼくは思った。

「福田くんの成績なら大学の推薦入学だって考えてもいいんだからね。だから、だめなんだよあんなことしたら」

職員室でのっちーが、泣きべそをかきながら、ぼくを叱った。

「斉藤くんも学校にやっと来てくれたんだからさー」マスカラがにじんで、のっちーの目の下が黒くなっていた。困ったことがあったら何でも言うんだよー、そう言って、のっちーはやっとぼくを解放してくれた。

慌てて家に帰るとばあちゃんの姿が見えなかった。ぼくは米を炊き、お湯にみそだけを溶かしたみそ汁を作って家を出た。のっちーの説教が長引いたのでばあちゃんを探している暇はなかった。その日は、子どもが風邪をひいているパートの青木さんの代わりに三時間だけバイトに入る予定だった。それなのに三十分以上も遅刻して、店長にこっぴどく叱られた。休憩時間に店にあるおにぎりを買おうとして財布を開くと、もうほとんどお金がなかった。ぼくは一度手にとった梅干しのおにぎりを棚に戻した。

母親がいなくなったらどうしたらいいのか、明日からの米はどうしたらいいのか、お金がないときには誰に相談すればいいのかがわからなかった。「ぼくは今とても困っています」と言葉にする勇気もなかった。レジを開け閉めするたびにお札が見えて、ぼくはそこからなかなか目が離せなかった。

空腹でふらふらした状態でなんとかバイトを終え、バックヤードに戻ると、ソファの上に店長がいつもわきに抱えているセカンドバッグが転がっていた。だらしなく開いたバッグの口から、携帯電話や鍵や、分厚くふくらんだ財布が顔を出していた。気がついたときには、ぼくの手が財布に伸びていた。財布のファスナーを音を立てないようにゆっくり開いた。子どものころにした万引きみたいに、罪悪感なんてちっともなかった。ぼくが気が付かないうちに店長がバックヤードに入ってきて、店長の財布を手に持ったぼくを見た。大粒の汗を浮かべた店長の顔がみるみるうちに真っ赤になった。ぼくは財布をソファに放り投げ、バックヤードを飛び出して、自転車に飛び乗った。スピードを上げてこぐと、耳のそばで風が金属的な音を立てた。

団地に着いて、ぼくが住む棟の階段を上がろうとすると、上のほうでたくさんの人の声がした。雨も降っていないのに、階段を上がるたびに上のほうから水が流れてきて、ぼくのスニーカーを濡《ぬ》らした。五階に着くと、ぼくの部屋の前にはたくさんの人がいて、ぼくを見るなり、下の部屋に住むおじさんが怒鳴った。「おれの部屋まで水びたしだよ。家財道具どうしてくれるんだよ」

そばにいたおばさんがぼくを哀れむような目で見た。ビールを片手に、笑いながら家の中をのぞきこんでいるじいさんもいた。「おまえんとこのばあさんが、台所と風《ふ》呂《ろ》場《ば》の蛇口開けたまんま、バケツで部屋の中に水をぶちまけてよう。ベランダからも水まいたんだぜ」慌てて部屋に入ると、あくつがタオルで台所の床を拭《ふ》いていた。ばあちゃんは、大音量のテレビを笑いながら見ていた。数え切れないくらい、ぼくは下のおじさんに頭を下げてあやまった。弁償だよ弁償、とさけぶおじさんを、もう一人のおじさんが、「とにかく明日、な、もう今日はこれくらいで勘弁してやれよ」と引きずるように連れて行ってくれた。

「あとは、ぼくがするから」と言うと、「床だけ拭いちゃうよ。これ、一人じゃ絶対に無理だよ」と言いながら、あくつは床を拭く手を休めなかった。いつの間にか眠ってしまったばあちゃんに毛布をかけ、ばあちゃんが見ていたテレビのボリュームを下げて、ふと台所のテーブルを見ると、見慣れない紙袋が置いてあった。「ドアのところにかけてあったよ」とあくつが言った。中を見ると、一枚のメモが入っていた。斉藤の汚い字で、よかったら食って。おふくろから。とだけ書いてあった。プラスチックのでかい弁当箱を開けると、たくさんのおにぎりと、唐揚げと卵焼きが入っていた。

ぼくはそれをむさぼるように食べた。晩ご飯を食べてきたから、と言うあくつは、それでもおにぎりを二個食べて、また床を拭き始めた。おなかがいっぱいになったら、急に眠気が襲ってきた。「五分たったら起こして」とあくつに言い、ぼくはテーブルの上につっぷして深く眠りこんでしまった。

「おばあちゃんがいないよ」あくつの大きな声で目が覚めた。

「あたし今、風呂場を掃除してて。こっちに戻ってきたら」あくつが泣きそうな顔をした。

さっきまでばあちゃんが横になっていたテレビの前には、くしゃくしゃの毛布しかなかった。狭い家の中を探したけれど、やっぱりどこにもいなかった。ぼくはスニーカーを履いて外に出た。あくつもついてきた。走り回って、団地の敷地内を探した。駐輪場や公園、違う棟の階段の踊り場。どこにもばあちゃんはいなかった。もしかしたら、と思いながら、沼の水面を目を細めて見た。細い月が水面に映って、ゆらゆら揺れているだけだった。

ぼくが自転車に乗ると、それが当たり前のことのように、あくつが後ろに乗ってきて、ぼくの腰に手を回した。暗いトンネルを抜け、街に続く道路を降りていった。火葬場の駐車場を抜け、市民病院の前に出た。念のため、救急外来の窓口で聞いてみたけれど、ひどく疲れた顔をした警備員のおじさんがぼくを手で追い払った。駅に続く大通りに出た。ドーナツ屋の前を通ると、店の前でたむろしていた同じクラスの男子たちが、二人乗りをしているぼくとあくつを見て、「おーにーあーい！」と声をあげた。ぼくは自転車を止めて、そいつの前に歩いて行った。緊張した表情でそいつがぼくの顔を見た。

「身長があくつくらいで、ベージュのワンピース着たおばあさん見なかったか？」

「おまえんとこのばあさん？」いきなりでかい声を出したぼくに驚いたのか、そいつがまじめな声で聞き返した。「いなくなっちゃったのか？」隣に立っていたもう一人のクラスメートが真剣な顔でぼくに聞いてきた。力なくうなずくぼくを見て、「友だちに聞いてやろっか。この時間なら、予備校やバイトから帰ってくるやつも多いから」と、カバンの中から携帯を取りだしてくれた。ぼくは携帯を持っていないので、「なんかわかったらあくつに連絡する。おれも探しながら帰るよ」と言ってくれた。

　真剣な顔でメールを打ち始めたクラスメートとドーナツ屋の前で別れ、ぼくとあくつは再び街の中を探し始めた。コンビニの前を通りかかったときは、ちらっとだけ店内を見た。店長が一人でレジを打っていた。レジの前にはたくさんの客が並んでいた。

　街中を抜けて、川沿いのサイクリングロードをゆっくり走りながら、真《ま》っ暗闇《くらやみ》の河川敷を見た。自転車をこぐのにすっかり疲れてしまったぼくは、サイクリングロードの脇にある自動販売機の横に自転車を止めた。あくつが缶のおしるこを買ってぼくに渡してくれた。ぼくとあくつは、その場にしゃがみこんでおしるこを飲んだ。べたべたした甘さが、体にしみわたった。

「もう遅いから、ぼくの自転車乗って帰りなよ。家の人心配するだろ」ぼくの言ったことを無視して、あくつが口を開いた。

「福田のおばあちゃんのさ、作ってくれた草もちおいしかったね」

春になると、ばあちゃんはよもぎを摘んでたくさんの草もちを作った。この街のはずれの山の上には小さな神社があって、そこにたくさんよもぎが生えているから、と言って、ばあちゃんは子どものぼくを連れて行った。何時間も熱心によもぎを摘むばあちゃんにつき合って疲れてしまったぼくを、ばあちゃんはおんぶして家まで連れて帰ってくれた。たくさん作った草もちを、ばあちゃんはあくつの家や団地の人たちに配った。父さんの位牌《いはい》だけがある小さな仏壇の前には山盛りにした草もちを供えた。

「犬がおしっこかけたりしてるかもしれないよもぎだよ。排気ガスだって浴びてるだろうし。汚いよ」そう言いながら、ぼくは今すぐにばあちゃんの草もちを食べたくてたまらなくなった。

盛大に湯気を出している蒸し器を見つめるばあちゃんの隣に立って、子どものぼくは、草もちが出来上がるのを待っていた。良夫と同じだね。良太も草もちが好きなんだね、と言いながら、ばあちゃんはまだ温かい作りたてのあんこを一匙《さじ》、ぼくの口の中に入れてくれた。そのとき、あくつの携帯が鳴った。メールの文字を追っていたあくつが、いきなり立ち上がった。

「さっき、橋のたもとでおばあちゃんみたいな人を見た子がいるって」

ぼくとあくつは自転車に乗って、さっき通り過ぎた橋のほうへ向かった。

橋に着くと、ぼくとあくつは土手を駆け下りて、大きな声でばあちゃんを呼んだ。河川敷を走り抜け、ごつごつとした大きな石が転がる河原を越えて、川のそばまで近づいた。水の流れる音にまじって、かすかな声が聞こえた。ばあちゃんの声のようにも聞こえた。

こっちだよ、と言いながら、あくつは自分の背丈よりもはるかに高い藪《やぶ》をかきわけて進んで行った。あわててあくつを追いかけたけれど、背の低いあくつはすぐに見えなくなった。ぼくも藪の中を進んだ。目の前に、クリスマスツリーに飾る人工の雲のような綿毛をつけたセイタカアワダチソウが並んで生えている場所に出た。急に通せんぼされたような気持ちになって、ぼくは空を見上げた。細い月が見えた。星は見えなかった。

ぼくがセイタカ、と呼ばれていたのには、もうひとつ理由がある。

ぼくがほこりっぽくて、薄汚い子どもで、ぼくに近づくとくしゃみがでる、と誰かが噂《うわさ》をしたからだ。セイタカアワダチソウと同じだ、と違う誰かがはやしたてた。担任の先生は、セイタカアワダチソウは花粉症の原因にならないと言ったけれど、誰もそんなことは聞いちゃいなかった。今日の産婦人科の医者が言ったみたいに、ぼくはぼくの人生を本当に自分で選んだか？

ぼくは小さく舌打ちをして、いじわるな神さまがいるかもしれない空に向け、唾《つば》を吐いた。

遠くのほうで、あくつの声がした。ぼくはわざとセイタカアワダチソウの群落に突っ込んで行った。

草をかき分けると野球場の端に出た。

老いた小さな体のどこにそんな力があるのか、ばあちゃんは力強い足取りで野球場をぐるぐる歩き回っていた。もう家に帰ろう、とぼくとあくつが何度腕を引っぱっても、ばあちゃんはその腕を振り払って歩き出した。ばあちゃんは声を張り上げて歌を歌い始めた。めちゃくちゃな歌だけれど、ときおり、ゆりかご、とか、カナリヤ、という言葉が聞こえた。ぼくとあくつはばあちゃんにつきあって、野球場をぐるぐると回った。肩で息をしながらしゃがみこんだあくつにぼくは言った。「ばあちゃんが疲れるまで待てばいいんだ」

　ばあちゃんの姿が確認できる距離にある朽ちかけた木のベンチにあくつと座った。ぼくとあくつは、冷たい風に吹かれてガタガタと震えた。両足を抱えた体育座りに疲れて、ベンチの上に手を下ろしたとき、ふいにあくつの手に触れた。盗んだチョコレートを手のひらに乗せて、手の甲には茶色いあとがたくさんあったあくつの手のひらは、ひどく乾燥してガサガサしていた。

　あくつの携帯が鳴った。携帯を耳に当てながら、ぼくの顔を見て「田岡さん」とあくつが言った。「福田のおばあちゃんがいなくなって」と、あくつは田岡さんとしばらく話したあと、電話を切った。「気にしてたよ。あんたが今日、バイト途中で抜け出したって。……なんかあったの？」ぼくは何も答えずに黙っていた。

　しばらくすると、土手の向こうで車が止まる音がして、田岡さんがこっちに向かって歩いてきた。「福田のばあちゃんはどこにいるんだ」と聞くと、ぼくとあくつが指さす方向に田岡さんが走って行った。田岡さんはばあちゃんにつきあって何回か野球場を回ったあと、ばあちゃんの耳もとに何かをささやいてから、ばあちゃんをおんぶしてこちらに歩いて来た。

　田岡さんはうとうとしているばあちゃんと、寒さと疲れでぐったりしているあくつを車の後部座席に座らせて毛布をかけ、ドアを閉めた。

「これ吸ったらすぐに行くから」田岡さんはライダーズジャケットの内ポケットから煙草《たばこ》を取り出し、ライターで火をつけた。田岡さんが煙草を吸うのをぼくは初めて見た。

「市民病院に連れて行く」という田岡さんをぼくはあわてて止めた。

「入院してもお金払えないです」とぼくが言うと、「病院におれの知っているやつがいるから。ちゃんと話しておくから福田は何も心配しないこと。困ったことがあったときはいちばん最初におれを呼べよ」

「だけど……、前にも聞いたけど、田岡さんはなんだってこんなにぼくを助けてくれるんですか?」

ぼくの質問に答えずに、田岡さんは長い間だまっていた。煙草を吸い口ぎりぎりまで吸って、白い煙を吐いた。田岡さんは吸い殻を足もとに落とし、しつこいくらいにブーツで踏んで火を消した。

一日の始まりを告げる甲高い鳥の声が聞こえた。

藍色《あいいろ》から紫色に変わっていく東の空に、明けの明星が輝いていた。田岡さんが、煙草をもう一本取り出し、口にくわえた。ライターのオレンジ色の火に一瞬だけ照らされた田岡さんの顔は、ひどく疲れているみたいに見えた。

「おれは、本当にとんでもないやつだから、それ以外のところでは、とんでもなくいいやつにならないとだめなんだ」聞こえないくらいの小さな声だった。風がもう少し強く吹いていたら、多分ぼくには聞こえなかった。

「この前、楽しかったな。みんなで飯食って、おもちゃ屋に行って」

ぼくがうなずくと、田岡さんはぼくの頭についたセイタカアワダチソウの綿毛を手で払い、「また行こうな」と子どもみたいな顔で笑った。ぼくは奇妙な日曜日のドライブを思い出していた。田岡さんの車の中の甘ったるいにおいや、足もとに転がっていた薄汚れたピカチュウのぬいぐるみのことを。

ぼくはそのとき、父さんや母さんが突然いなくなったように、田岡さんもぼくの目の前から消えてしまうような、そんな気がしていた。


田岡さんが、強制わいせつ容疑で逮捕されたのは、ばあちゃんが肺炎で市民病院に入院して一週間後のことだった。

田岡さんが紹介してくれたソーシャルワーカーの清水さんは、入院費の支払いや、ばあちゃんが退院したあとのことについていろいろと相談にのってくれた。

「まじめにカウンセリングも受けてたのよ。田岡がそんなことやるわけない」と清水さんは眉間《みけん》にしわを寄せて大きな声で怒った。だけど、病院の相談室を出るときに、ぼくに小さな声で聞いた。「あなたは田岡に何もされてないよね？」されてません、と答えると、「こんなことを聞いてごめんね」とばつが悪そうな顔をした。

ばあちゃんの病室に行くと、ベッドの上に起きあがったばあちゃんがあくつの手にハンドクリームを塗っていた。「さっきから離してくれないんだよ。もう手がベタベタだよ」と、笑いながらぼくの顔を見たあくつの手を、ばあちゃんはとても大切なものに触れるように何度もさすった。

田岡さんが突然いなくなって、店のなかは混乱しまくっていた。店長の財布からお金を取ろうとしたことをあやまってから、ぼくはコンビニをやめる気でいた。そんなぼくを泣きそうな顔をして店長は引き留めた。「おれの財布を拾ってくれたんだから福田くんは。来月のバイトのシフト表確認しておいてね」と、店長は額に浮いた汗をハンカチでふきながら、クリスマスケーキを予約したお客さんが並ぶレジに走って行った。ロッカーを開けると、茶封筒が目にとまった。中には、田岡さんがぼくとあくつの意見を参考に作った問題集が入っていた。

「勉強教えてやるって言って、自分の車に子どもひきずりこんで、裸にして写真撮ってたんだって」パートのおばさんのやけに興奮した声が聞こえた。あやしいと思ってた、なんだか目がやばかったと、バックヤードにいるぼく以外のみんなが田岡さんのことを噂した。

団地に続く坂道の途中に自転車を止め、ぼくはこの小さな街を見下ろした。街の灯りを見ながら、死ぬほど勉強して、みんなが驚くような大学に入って、この街を出ていこうと思った。そして、どこかにいる田岡さんのことを思った。どうか今夜、あの人が寒い思いをしていませんように。ぼくはいじわるな神さまに一度だけ祈った。

花粉・受粉

ここまでくれば、もうすぐ。

医療用グローブをつけた右手に、あたたかくぬるぬるとした赤んぼうの頭が触れた。赤んぼうの頭はさっきから、大島さんの膣《ちつ》口を出たり入ったりしている。

「もうちょっとだからね」と、声をかけると、大島さんはだんなさんの首に両腕をまわしたまま、畳に視線を落として力なくうなずいた。薄いピンク色のタンクトップだけを身につけた大島さんは、両足を大きく開いて畳にひざをついている。私は大島さんの背後に座り、手を伸ばして赤んぼうの頭をそっと支える。

さっきまで、野獣のような叫び声をあげる妻の姿に困惑していただんなさんは、腹がすわったのか妻の体を支えながら汗をふいたり、ペットボトルの水を飲ませたりと、甲斐甲斐《かいがい》しい。

年が明けてから、急に寒くなった。大陸から大寒波がやってきているのだと、夕方のニュースで言っていた。ときおり強く吹く木枯らしが、この古ぼけた民家の、建て付けの悪いサッシの窓を揺らした。カーテンを開けたままの窓に目をやると、サイクリングロードの桜の枝のシルエットが、風に吹かれて小刻みに震えているのが見えた。音が気になるから、という大島さんの希望で、さっきからこの部屋のエアコンは止まったままだ。けれど、大島さんも、だんなさんも、私も汗だくだった。エアコンをとめた途端に、なぜだかお産はスムーズに進み出した。理由はわからないのだけれど、そんなことはよくある。だんなさんが着ている緑色のTシャツの汗染《あせじ》みが、少しずつ大きくなっていく。だんなさんの髪の毛の先から、大島さんのきめの細かい白い肌に汗がしたたり落ちる。

あぁぁぁぁぁぁぁ、と大島さんがだんなさんの目をまっすぐに見つめながら、長く、大きな声で叫ぶ。狭い部屋の中の空気が、突然とろりとした濃密なものになる。二人の寝室に無断で侵入した気分になって、私は私の気配を消す。赤んぼうがスムーズに出てこられるように、大島さんの体の負担がなるべく軽くなるように、それだけに集中する。

「力を抜いて。短く切るようにはっはっと息をしてね」

そう言った途端、風船が割れるような音がして、生暖かい水が私の手のひらにあふれた。しばらくの間、短い呼吸をくり返していた大島さんがふうっと息を吐くと、赤んぼうの頭が出てきた。大島さんの肛門《こうもん》を指でしっかり圧迫しながら、陣痛に合わせて回転しながら出てくる赤んぼうの体を支える。頭に続いて肩、背中、そこからはあっという間だった。

一呼吸おいて、赤んぼうが子猫のような声をあげる。私は後頭部をそっと支え、大島さんの胸元にへその緒がついたままの赤んぼうの体をのせる。頬を紅潮させた大島さんが、羊水で濡《ぬ》れた赤んぼうの頭頂部に口づけをした。赤んぼうを抱く大島さんを背中から包むようにだんなさんが抱きしめる。大島さんの腕に抱かれた赤んぼうはすぐに泣くのをやめ、目を閉じたまま頭を動かして母親の乳首を探し始めた。

「ここよ」そう言いながら、大島さんが赤んぼうの口に乳頭を含ませる。誰に教えられたわけでもないのに、くちゅくちゅと小さな口を動かす赤んぼうを見て、だんなさんが静かに涙を流した。できたての聖家族のような三人をぼんやり見ていると、肺の奥深くからため息が出て、軽い空腹を感じた。

台所に入っていくといいにおいがした。コンロの上にある鍋《なべ》のふたを取ると、黄金色のだし汁がキッチンの薄暗いあかりに照らされて輝いていた。私はそれをおたまですくって、そっと口に入れた。パタパタとスリッパで廊下を歩く音がして、みっちゃんが畳んだたくさんのタオルを抱えて台所に入ってきた。私の姿を見て、みっちゃんが眉間《みけん》にしわを寄せた。

「せーんせーまたー、行儀悪いっすよー、それ」

「みっちゃんのおだし飲むと、なんか元気出る気がするんだもの」

「すぐお吸い物にしますから。ここに座って」と言いながら、みっちゃんは小鍋にだし汁を分け、冷蔵庫からはんぺんと三つ葉を取り出し、手早く包丁で切って鍋の中に入れた。時計を見ると、午前〇時を過ぎていた。

「みっちゃん、それ作ったら、今日は家に帰らないと。この二日間ほとんど寝てないでしょ」

「先生のほうこそ、今日こそ寝ないとだめですよ。死んじゃいますよー」笑いながらみっちゃんが、お吸い物の入ったお椀《わん》と箸《はし》を私の目の前に置いた。

　陣痛が十分間隔になった大島さんが入院したのは、おとといの朝だった。けれどもいったん強くなった陣痛は、弱くなったり、強くなったりをくり返し、結局まるまる二日間続いた。そんなときに、ほかのお産も立て続けに起こった。いつものことだが、私とみっちゃんはこの二日間、ろくに寝ていない。みっちゃんはアパートにも帰らず、泊まり込みで仕事をしている。みっちゃんがつくった温かなお吸い物を一口飲むと、食道のあたりがぽっと温かくなって、疲れと緊張がゆるゆるとほどけていくような気がした。

「本当に、おいしい」そう言うと、ふへへっと変な声で笑いながら、男の子みたいなベリーショートの髪からのぞくみっちゃんの耳たぶがほんのりと赤くなった。

一昨年から、うちの助産院で働いてもらっているみっちゃんには、お産の介助だけでなく、入院中の産婦さんたちの食事づくりを担当してもらっている。一人だけでお産を介助するのは、まだおぼつかないところがあるけれど、料理の腕はプロ並みだった。退院のとき、産婦さんに書いてもらっているアンケートに、「入院中の食事が本当においしかった」という感想が急に増えたのも、みっちゃんがここにやって来てからだ。入院中の食事は基本的に和食なのだけれど、みっちゃんはこんぶとかつおぶしで丁寧にだしをとり、土鍋でごはんを炊《た》く。夕食のメニューは魚と肉を交互に、それに野菜がメインの副菜ふたつと海藻類の小鉢がひとつ。それも手早く効率的に、しかもローコストで。さらに、みっちゃんは一日の終わりに、毎日の食事をパソコンに詳細に記録していた。

私や産婦さんが料理をほめると、「あたし、八人兄弟の長女で、母親がパチンコばーっかりやってて、なーんにもできない人だったから自然にうまくなっちゃったんですよー」と照れた。中学・高校時代は、みっちゃんの言葉を借りると「殺人以外の、目につく悪いことはなんでもひととおりやった超不良」だったらしい。ここで助産院を始めてから、昼も夜もない過酷な仕事に耐えきれず、何人もの若い女の子がやめていったけれど、みっちゃんはそのなかでも、一番長くここに勤めてくれている助産師だ。

「大島さんのお産、最後は結構スムーズにいったんすね」

「意外に最後は早かったね。大島さんも疲れきっていたから、もう少し時間がかかって、赤ちゃんの体力も落ちてきたら搬送することになっただろうけどねぇ」

そう言いながら、右手でじんじんとしびれるように痛む左右のこめかみをおさえると、「せんせー、あたしがここ片づけますから。もう、上で寝てくださいよー」と、みっちゃんが口をとがらせた。

みっちゃんに急《せ》かされるように階段を上がり、卓巳の部屋のドアを叩《たた》いた。返事はない。しばらく待って、ドアノブをゆっくり回すと、カーテンのすき間から差し込む街灯に照らされて、ベッドの上の掛布団《ぶとん》が盛り上がっているのが見えた。部屋中に散乱するマンガ本やゴミの入ったコンビニのビニール袋を踏みしめて、ベッドに近づく。

掛け布団を静かにずらすと、目を閉じた卓巳の顔が見えた。まぶたはしっかり閉じられて、ぴくりとも動かない。布団をもう少しずらして、ひとさし指を横にして、鼻の下に当ててみる。生温かいかすかな息を感じる。生きている。それだけを確認して、私は卓巳の部屋を出る。

電気もつけず、着替えもせずに、自分の部屋の敷きっぱなしの布団の上に倒れ込んだ。こめかみのあたりが、まだひどく痛む。腰の右側がつれるように重く感じる。この感じが続くと、またぎっくり腰になるから注意しないと。右側の肩甲骨《けんこうこつ》の内側が針でさされたようにちくちくと痛んだ。目を閉じると天井がぐるぐると回った。重力で布団の下に自分の体が沈み込んでいくようだ。とにかく今日一日はなんとか無事に終わった。懸案事項は山ほどあるのだけれど。消えていく意識のなかで思った。何時間眠れるかはわからないけれど、どうか短時間でこの疲れがすっかり消えていきますように。

マフラーをぐるぐると首に巻いて、私は自転車にまたがった。

サイクリングロードを駅とは反対の方向に走る。どういうわけで、駅前ではなくて、そんな場所に人を呼ぶのか、私にはまったくわからないのだけれど、彼には彼なりの理由があって、それを責めてもけんかになるだけなので、私は余計なことを考えずに、彼が指定した待ちあわせ場所に急ぐ。隣町に近い大きな橋が見えてきた。サイクリングロードに自転車を止め、私は河川敷に降りて行った。

野球場のわきにある古ぼけた木のベンチに、彼は座っていた。年末に見たのと同じ、紫の古ぼけたダウンジャケットを着て、背中を丸め、両腕をだらんと足の間にたらしていた。私の姿を見つけると、左手をあげてひらひらと振った。私は彼の正面に立ち、コートのポケットから、お年玉を入れるポチ袋を取り出した。あわてて出てきたので、適当な封筒がなかったのだ。キティちゃんのイラストが描かれたその小さな袋を差し出すと、彼はかすかに笑いながら両手でそれを受け取り、そのあとに軽くおがむようなポーズをした。じゃ、と立ち去ろうとすると、彼が私の右腕をつかんだ。私はその右腕を力強くふりはらった。

「これで最後にしてほしい」

顔を上げて言うと、天頂の位置に近づいた冬の太陽がまぶしくて、思わず目を閉じた。わかった、と小さな声で言う、彼の頭に急激に白髪が増えていることや、スニーカーの紐《ひも》が切れそうにボロボロになっていることは見ないふりをする。私は彼に背中を向けて歩き出した。「卓巳によろしくな」と彼が叫んだ。私はその声には答えずに、大股《おおまた》で野球場を横切っていった。

　初めて会ったとき、彼はカメラマンの助手のような仕事をしていた。そのころ、私が勤めていた産院にお産の風景が撮りたいのだ、と、ふらりとやってきたのだ。まとまった仕事をして、お金がたまると、インドやタイに出かけて行った。つきあい始めてからも、突然連絡がつかなくなることが何度もあった。したくないことは、絶対にしない人で、私はそれを人としての純粋さだと勘違いしていた。家賃を滞納していたアパートを追い出された彼と、ずるずるといっしょに住み始め、妊娠をして、卓巳を生んだ。生活していくために、産後すぐから卓巳を保育園に預けて働き始めた。彼のカメラや撮影機材は、部屋の隅でほこりをかぶっていた。汗まみれで、くたくたに疲れた体をひきずり、卓巳を保育園から引き取ってアパートに帰ると、彼が扇風機とテレビをつけっぱなしにしたまま大の字になって寝ていた。

　彼自身は何も変わっていない。変わったのは私のほうだ。

　父親になったのだから、きちんと仕事をしてほしい、そんな正論を大声でふりかざした。そう言いながら、いつも、カルピスを飲んだあとに舌に残るもやもやしたかたまりのようなものが、私の心の中に残った。彼の自由な生き方を無責任におもしろがって結婚したくせに、子どもが出来た途端、夫や父親としての責任を彼につきつけた。

それまでは、家事はできるほうがやればいい、生活費は出せるほうが出せばいいと、物わかりのいいふりをしておきながら。彼と私と、そして生まれてきた卓巳と、どう生きたいかを考えもせず、探りもせずに、耳馴染《みみなじ》みのいい世間の良識を、焼き印のように彼に押しつけたのだ。

怒鳴りあい、相手の一挙一動にめくじらを立て、最後には同じ家にいるのにお互いを無視する日々が過ぎていった。彼は、あるときは、無農薬の野菜づくりにはまり、あるときは、翻訳家になるのだといってそのための勉強を始めた。そのときにやりたいことだけをやる、という彼の暮らしぶりは変わらなかった。けれども、そのどれもが実を結ぶことはなかった。私が少しずつ助産師としての経験を積み、力をつけ、この助産院を始めた年、若い恋人ができたといって、彼は家を出ていった。しばらくの間、新生児が泣く声に混じって、卓巳の泣く声が部屋から聞こえてきた。

大股で野球場を横切っていく私の背中に向かって、「卓巳は元気か」と彼が叫んだ。振り向いて、大声で返事をした。

「自分で確かめれば」

彼は家を出てから、一度も卓巳に会っていない。私が会うことを禁止しているわけでもないのに、頑《かたく》なに会おうとしない。問いただすと、「父親として、今のおれはだめすぎるから会えない」と、今まで彼の口から聞いたことのないようなことを言った。

私は、息子から父親を奪って、彼からは人としての無邪気さを奪ったのだ。自分の手で家庭を壊してしまった罪悪感はいつも熾火《おきび》のように私の心にあって、ときおり風にあおられて、その火は強くなった。困っていると聞けば、お金を渡してしまう自分のだらしなさにいらつきながら、私は土手を駆け上った。

「せんせー、四月まで予約がいっぱいですよー。少子化ってどこの国の話なんですかねー」とみっちゃんがパソコンの前で大きなため息をついた。隣の町や、隣の県の大きな病院の産科病棟がぽつぽつとなくなって、助産院に産む場所を求める産婦さんが急激に増えたからだ。それでも母親がなんらかの病気を抱えていたり、赤んぼうにリスクがある場合は、医療設備のないここでは産めないので、申し訳ないと思いつつも断ることになる。助産院を始めたばかりのころ、なかなか産婦さんがやってこなくて、どうやって食べていこうか毎日頭を抱えていた日々からすれば、たくさんの産婦さんが「ここで産みたい」とやって来てくれるのは、夢のようなことなのだけれど。

午前中に行う新生児の沐浴《もくよく》を手早くすますと、西村さんという一人の若い産婦さんがやってきた。ふわふわとした白いニットのワンピースに、足もとはボーダーのレッグウォーマー。問診票を見ると、三十四歳とあるけれど、どう見たって二十代にしか見えない。産婦人科で妊娠を確認したばかりなのだけれど、どうしてもここで産みたいからと、早々と分娩《ぶんべん》の予約を入れた人だった。みっちゃんと二人、彼女の体調のことを詳しく聞きながら、ここでのお産の方法についての説明をする。彼女はノートを広げながら、私たちの話を、小さな文字で一言一句メモしていった。

「子どもはできるだけ自然に産みたいと思ってるんです」

背筋をぴんと伸ばした西村さんが、私の目をまっすぐに見て言った。ここに来る産婦さんのほとんどが、そんな理由でやってくる。私がしばらく黙っていたので、みっちゃんが問診票から顔を上げて、私の顔を見た。

「でもね、脅かすわけじゃないけど、西村さんと赤ちゃんの命が最優先なんだからね。もし、ここで対処できないことが起こったら、提携している病院に運ばれることになるからね」

「病院で産むのはいやなんです」

西村さんの色素の薄い瞳《ひとみ》が、窓からの日差しを受けて輝いている。彼女の言葉のまっすぐさと強さに、私は少しだけたじろいでしまう。

「食事も赤ちゃんのために、妊娠前から気をつけてたんです。私、魚や肉は一切、食べません。こちらは入院中の食事も、こちらの嗜好《しこう》にきちんと対応してくださると聞いたので。私がふだん食べている無農薬野菜を入院中にも使っていただきたくて」そう言いながら、西村さんが無農薬野菜の宅配会社の資料を持ってきたクリアファイルの中から取りだして、テーブルの上に置いた。テーブルの下で、みっちゃんの爪先《つまさき》が、私のふくらはぎに軽く触れた。

彼女の言うように、食事だけでなく、お産のときや入院中の生活は、できるだけ産婦さんの希望を取り入れるようにしている。ベジタリアンにはベジタリアンの食事を、マクロビオティックを実践している人には、マクロ仕様に。お産のときに窓に暗幕を張って部屋を真っ暗にしたい、イルカの鳴き声を集めたCDをかけたいといえば、そのとおりにした。一見、わがままに思える希望でも、できる限りかなえてあげたかった。お産をする場所で、自分がきちんと受けとめられているという実感があればあるほど、産婦さんの体と心は自然にゆるんで、お産がスムーズに進むからだ。産婦さん側からの希望だけでなく、アロマテラピーも、お灸《きゅう》も、ツボ押しも、体と心をゆるませるスイッチをオンにするための方法は積極的に取り入れていった。

「体を冷やさないで」「体重を増やし過ぎないで」「毎日できるだけ歩くようにして」「月が満ちて、「自然に」陣痛がわき起こってくるように、私は同じ説明を産婦さんにくり返す。それを厳密に守っても、母親や胎児になんのトラブルがなくても、お産がうまくいかないことはたくさんある。助産師学校でくりかえし言われたように、何回、お産に立ち会っても、同じように進むお産はないのだ。

けれども、産婦さんの性格や生活習慣から、こんなお産になるだろうな、というのは、ある程度予想がつくようになった。西村さんのように、きまじめ過ぎたり、こだわりが強い人がお産をするときには、こちらにもある程度の覚悟が必要だ。彼女を否定しない姿勢を見せながら、伝えたいことだけ、守ってほしいことだけを伝える。そのうえで、お産までに、彼女の考えをどれだけ早く、やわらかくほぐすか、それも助産師の仕事のひとつだ。

「食事のほうは今のままでいいし、こちらも入院中は、西村さんの希望にできるだけ応《こた》えたいと思っているの。でも、ひとつ約束してくれるかな」

「なんでしょうか?」小鳥のように小首をかしげて、西村さんが私の顔を見る。

「今日からなるべく、ネットとかを見ないようにしてね」

ネット禁止、と西村さんが几帳面《きちようめん》な文字で、ノートに書きつけた。妊娠中は目が疲れやすいからね、と言いながら、私は本当の理由を話さない。ネットにあふれる情報は玉石混淆《ぎよくせきこんこう》だ。体と心がデリケートになっているからなのか、なぜだか妊娠中の女性は、悪い情報につかまりやすい。以前、何十万人に一人、ごくまれに起こる子どもの難病が心配になった人や、大地震が来るという噂《うわさ》を信じて、お産の直前なのに子どもを産みたくないとパニックになった人がいた。なぜだか西村さんのように、何を食べて、何を着るか、生活に強いこだわりがある人ほど、そんなふうになりやすい。

「きちんと守っていれば、先生、私、絶対に自然に産めますよね」ノートをそっと閉じて、西村さんが笑いかけたので、私は曖昧《あいまい》に笑い返した。

　自然、自然、自然。ここにやってくるたくさんの産婦さんたちが口にする、自然という言葉を聞くたびに、私はたくさんの言葉を空気とともにのみこむ。彼女たちが口にする自然、という言葉の軽さや弱さに、どうしようもない違和感を抱きながら、私はその気持ちを言葉に表すことができない。乱暴に言うなら、自然に産む覚悟をすることは、自然淘汰《とうた》されてしまう命の存在をも認めることだ。彼女たちが抱く、自然という言葉のイメージ。オーガニックコットンのような、ふわふわでやわらかく、はかないもの。それも間違ってはいないのだろうけれど、自然分娩でも、高度な医療機器に囲まれていても、お産には、温かい肉が裂け、熱い血が噴き出すような出来事もある。時には、母親や子どもも命を落とす。どんなに医療技術が発達したって、昔も今もお産が命がけであることは変わらないのだ。

みっちゃんと二人、西村さんのチョコレート色のダウンコートの背中を見送った。西村さんが角を曲がって見えなくなると、みっちゃんが、「せんせー、本当のことを言いたくなることってないんですかー」と、口をとがらせた。玄関のたたきに落ちているゴミを拾いながら、なにがー、ととぼけると、またまたー、と言いながら、ひじで私を軽くつついた。

「あたし、ああいう人が来たら、いちいちじーっとり説教しちゃうかもなー」

「出産前の準備クラスで話すことだけを聞いてくれれば十分だよ。一人ひとりにそんなに時間をかけてたら、経営が成り立たないよ。時間がかかるのはお産本番だけで十分」私の顔を見ていたみっちゃんが、目をぱちぱちとしばたたかせた。

「……時々思うんですけど、せんせー、意外に腹の中が黒いですよね」

「何言ってんの。だって食べていかなくちゃ私たち。この仕事で」

みっちゃんくらい若いときは、私も産婦さんたちを力まかせに自分の意見のほうに向かせようとしたこともあった。けれど、自然分娩がどういうことなのか、私が頭でっかちに語れば語るほど、産婦さんの表情はかたくなり、お産はスムーズにいかなくなった。

本当に伝えたいことはいつだってほんの少しで、しかも、大声でなくても、言葉でなくても伝わるのだ、と気付いたのは、つい最近のことだ。もっと早く気付いて、それを夫婦関係にも活用できればよかったのだけれど。

みっちゃんが夜食用に作ってくれたサンドイッチを台所で立ったまま口に運び、コーヒーで流し込む。マスタードがかたまっている部分があって、鼻の奥がつんとして涙がにじんだけれど、眠気を吹き飛ばすにはちょうどよかった。

満月が近くなってくると、産院は急に忙しくなる。満月になると、なぜお産が増えるのか、医学的には説明できない。大人の体の半分以上は水分で、妊娠すると血液や羊水でその量がさらに増える。体の中の水分は海水にとてもよく似ているので、潮が満ちるように月の引力に影響されるからだ、と言う人もいる。医者からはきちんとデータをとって証明しろ、と言われるだろうけれど、数字とか、データだけで計り知れない体の不思議に直面しているのが助産師の仕事なのだ。

このままスムーズにいけば、夜明けまでには二人の赤んぼうが生まれるはず。みっちゃんも夕食をとらずにお産を介助し続けている。

午前〇時を過ぎて、私がみていた産婦さんのお産がやっと終わった。台所に戻り、マグカップに入ったままの冷たいコーヒーを一気にのみほすと、「先生、若林さんの赤ちゃんが」と言いながら、緊張した顔のみっちゃんが台所に小走りで入ってきた。みっちゃんのあとに続いて、廊下のいちばん奥の部屋に入る。大きな赤いクッションに覆《おお》い被《かぶ》さるようにして、若林さんが前屈《まえかが》みに座り、部屋に入ってきた私たちの顔を見てほっとしたような表情をした。若林さんのだんなさんは、そんな彼女の後ろで険しい顔をしながら立っている。

「ちょっと、赤ちゃんの様子を見てみるね」

若林さんを布団《ふとん》の上にあお向けに寝かせ、若林さんのTシャツのすそをめくり、汗ばんだおなかをタオルでふく。モニターで赤ちゃんの心音を確認する。約五分間隔の陣痛が起こるたびに、胎児の心音が落ちていく。昨日の朝、助産院にやって来て、陣痛の痛みに耐え続けている若林さんも、そろそろ体力の限界だ。睡眠も食事もままならないので、目の下にうっすらとくまができている。医療用グローブをつけて子宮口の開きを確認する。今の段階なら、もう少し開いていてもいい子宮口はかたく閉じたままだ。

「若林さん、ここまでよくがんばったね。でもね、赤ちゃんが少し疲れているみたいなの。万一のことを考えて病院に行きましょう。すぐに救急車を呼ぶからね」

ぐったりとした若林さんが、しばらく私の顔を見たあと、静かにうなずいた。私の判断にすぐには納得しない産婦さんもいる。自然分娩で産みたいからとここに来たのに、お産が進まない状況が続けば、病院に送られて、帝王切開でおなかを開いて産むことになるからだ。手術を行う設備のない助産院では、お産の最中に何らかのトラブルが起こったときは、緊急の手術ができる提携先の病院に搬送されることになっている。

「だから病院で産めって言ったんだよ！　こんな助産院で産むなんて言うから！　子どもに何かあったらどうするんだ！」それまでまったく口を開くことのなかった若林さんのだんなさんが声をあげた。若林さんは放心したように天井を見つめたまま、だんなさんのほうを見ようとしない。

「ご主人が心配しているのはよくわかるから。今はとにかくママと赤ちゃんのことを最優先に考えましょ。ね」私が若林さんのだんなさんの両腕をつかんで話していると、遠くのほうから救急車のサイレンの音が聞こえてきた。

深夜の大通りを救急車で駆け抜ける。知らない間に雨が降ったのか、濡《ぬ》れた道路にLED信号の青がにじんだ色を放っている。向かっているのは、私が以前、勤めていた隣町の総合病院だ。

若林さんはストレッチャーに横になり、目を閉じている。ときおり、痛みで顔が苦痛にゆがむ。腰をさすりながら、「若林さん、痛みが来たら息を止めないで。目を開けたまま、息をふ――――ってゆっくり吐いてね」と声をかける。だんなさんはそんな若林さんに目をやる様子もなく、私の横で眉間《みけん》にしわを寄せたまま、黙って座っている。

「もうすぐ病院ですから」とだんなさんに声をかけると、突然、気持ち悪いとうつむき、あわててカバンの中からコンビニのビニール袋を出し、口にあてて激しく嘔吐《おうと》した。狭い車内に生臭いにおいが漂い、私も酔いそうになった。若林さんも目を閉じてじっと耐えている。私の向かい側にすわっている救急隊員のおじさんが「救急車で車酔いする人多いんですよー」と私の顔を見てにやっと笑った。

助産院から十五分ほどで、病院に到着した。若林さんを乗せたストレッチャーとともに、救急外来の診察室に入る。目の下に黒々としたくまを作った若い男性医師と看護師にこれまでの経緯を伝える。二人とも私の知らない人だったので、少しほっとした。説明をしていると、この病院で世話になった看護師長が入ってきた。会釈《えしやく》をしたが無視された。若い看護師が記入していたカルテを奪い、老眼鏡をかけて目を通す。

「自然分娩《ぶんべん》だなんだとえらそうなこと言って、最終的に病院の世話になるようじゃね」看護師長の言葉にかぶさるように、私を指さす若林さんのだんなさんの怒声が響く。

「子どもに何かあったら、おまえのせいだからな！」救急車の中で青ざめていたさっきの姿が想像できないほど、鼓膜が震えるような声で罵倒《ばとう》された。その声を遮るように、若い男性医師が「すぐに手術に入りますから」とだんなさんに声をかけた。私は男性医師に深くお辞儀をして、ピンクのタオルをにぎりしめたまま、目を閉じている若林さんに「もうすぐ赤ちゃんに会えるからね」と声をかけた。

「先生、私、途中でだめだったね。母親失格だね。帝王切開で産むなんて」若林さんが私の手をぎゅっとにぎったまま、消え入りそうな声で言った。

「何言っているの。あなたは十分がんばったよ。母親失格かどうかなんて、死ぬまでわからないよ」若林さんの手を握った私のこぶしの上にはらはらと若林さんの熱い涙がこぼれた。

「申し訳ありませんが、どうぞよろしくお願いします」看護師長に頭を下げたが、私に視線を向けることもなく、ストレッチャーに乗った若林さんとともに、長い廊下の先に消えて行った。

若林さんのだんなさんの言うことも、看護師長の言うことも、どちらも間違ってはいない。助産師という仕事をしていると、自然分娩に強いこだわりがあるように思われるのだけれど、本当のことをいえば、母親と赤んぼうが無事ならば、自然分娩だろうと、無痛分娩だろうと、どんな方法だってかまわない。一人でも多くの子どもを取り上げることを自分の手柄のようにはしたくないし、お産で起こったトラブルを押しつけ合うような真似《まね》もしたくない。毎日、眠らず、休まず、体と心をすりつぶすようにしてお産にかかわっているのは医者も助産師も同じだ。どんなに力を尽くしても、それでも助産師として手に負えない事態は起こる。そんなとき、医師の力を借りて、母親と子どもの命を守ってほしいと、そう思うことは間違っていることだろうか。

助産院のホームページに載っているメールアドレスに、粒子の粗い奇妙な写真が送られてくるようになったのは、去年の秋頃のことだった。助産院のホームページというだけで、以前から卑猥《ひわい》なメールや写真が送られてくることはしばしばあった。そのたびに、みっちゃんが、ひとつひとつ削除してくれていたのだけれど、今回は送られてくる写真の枚数も多く、しかもしつこかった。ホームページ経由だけでなく、郵便受けにたくさんの写真が並べられたチラシのようなものが投げ込まれることもあった。私もみっちゃんも、送られてくる写真をくわしく見ることもなく、ゴミ箱に丸めて捨てていた。気にしないようにしてはいたものの、もしかしたら、特定の変質者にからまれているのかもしれない、ここにやってくる産婦さんたちに何かあったらどうしようか、と思っていたときに、みっちゃんが、「先生、これ……」と、一枚の紙を持ってきた。こちらを向いた顔がはっきり写った一枚だった。そこには、奇妙な衣装を着た卓巳と白い太ももをあらわにした女の子が写っていた。思わず目を閉じ、もう一度目を開いて、それを見た。腹の底からわき上がってきた嫌悪感《けんおかん》と怒りで、「子どものくせに」と思わずつぶやいた自分に驚いた。私が手にしていた紙をみっちゃんがのぞきこんだ。「卓巳、意外とやるなぁ」とぼんやりつぶやいたみっちゃんの顔に目をやると、みっちゃんも私の顔を見た。やばい、という表情をして、みっちゃんが私から視線をそらした。

高校に入って、卓巳が恋愛をしていることはうすうす感じていた。

ある日、突然、バイトに行かなくなり、二学期が始まっても学校に行かない日が多くなった。最初のころは無理矢理布団をはがして、学校に送り出していた。ただ単に失恋のせいだと思っていたからだ。秋が深まっていくにつれて、卓巳は部屋の中から出てこなくなった。ある日、卓巳の部屋のゴミ箱の中から、画面の部分を何か硬いものでたたきつぶした携帯電話が出てきた。父親が出て行ったときと同じように、新生児の泣く声に混じって、卓巳のすすりなくような声が聞こえてきた。真夜中に授乳し

ている産婦さんから、

「先生の息子さん？　泣いてませんか？」と聞かれた。

「失恋したばっかりなのよ。ごめんね、うるさくて」

「失恋かぁ……。失恋して泣いちゃうなんて、なんか、青春って感じですよね」顔をほころばせる彼女が言うように、ただの失恋だったらどんなによかっただろう。

卓巳の話は、なぜだかこの街の大人たちにも伝わっていて、元々、この場所に助産院を開くことをよく思っていない人が多い町内会の会合では、誰一人、私に話しかけてくれる人がいなくなった。助産院や私の個人的なメールアドレスにも、会ったことがない人から、さまざまなメールがやってきた。

「おまえの息子は変態だ」と言われるのはまだましだった。いちばんこたえたのは、「助産院の息子だからだ」という一言だった。どうしてそんな事情を知っているのか、「お産の手伝いなんてさせるから、こんな息子になるのだ」と書いてきた人もいた。

　卓巳は小さなころから、泣き続ける新生児や、苦しんでいる産婦さんを見ると、いっしょに泣きだしてしまうような子どもだった。産婦さんたちが居間で食事をしているとき、部屋に残された赤んぼうが泣き続けていると、いっしょに布団に横になり、泣いている赤んぼうの背中を、やさしくたたいてなだめるようなそんな子どもだった。

もう少し大きくなると、何かしらの理由があって、一人でお産をする産婦さんに水を飲ませてあげたり、汗をふいてあげるようになった。

卓巳は、私が寝ないで仕事をしていることや、産婦さんが何日も苦しんでいることを、そばで見て、感じて、知っていた。助けようと差し出された卓巳の小さな手を払うことが、私にはできなかった。それは、間違っていたことだろうか。だから、卓巳はコスプレ姿で、年上の主婦と不倫をするような子どもに育ったのだろうか。

「つぶてがびしばし飛んできますねー」送られてくる悪質なメールをひとつずつ削除しながら、みっちゃんがテーブルにほおづえをついて言った。みっちゃんの横で、私は取りこんだばかりの大量の洗濯物を畳んでいた。

「……しっかし、いちいち、くっだらねー」本気で怒っているとき、みっちゃんの口は途端に悪くなる。

「ばかな恋愛したことない人なんて、この世にいるんすかねー」と言いながら、みっちゃんがイスの上に片膝《かたひざ》を立てた。「こら、足」と言うと、「しゅいませーん」と小さな声で言いながら、片足を下ろし、湯のみに入ったお茶をごくりと飲んだ。

メールはなるべく読まないようにしていたけれど、ここでお産をしたいという問い合わせも送られてくるので、みっちゃんが休みのときは仕方なしに確認した。産院の予約メールかと思うような文面の最後に、「母親も母親なら、子どもも子どもだ。親子二代で不倫するのか」という一文を見つけて、二十年以上前のことまでも言われるのか、と大きなため息が出た。

畳んだ洗濯物を抱えて、洗面所の鏡に映る疲れきった自分の顔を見る。右目の下に小さな傷がある。みっちゃんが言うような、ばかな恋愛をした印だ。助産師学校を出て、最初に勤めたのは隣町の総合病院だった。この助産院の緊急時の搬送先になっている病院だ。

私より、ひとまわり年齢が上の副院長との関係がばれたとき、副院長の奥さんは私を罵倒しなかった。汚い言葉を使う勇気がなかったのだと思う。育ちが邪魔をしたのだ。その代わり、私と副院長は罰を受けた。水がたっぷり入ったバケツを両手に持たせ、まる一日、自宅のリビングの隅と隅に私と副院長を立たせた。宿題を忘れた昭和の小学生に罰を与えるように。

奥さんはまるでそこには存在しないかのように私たちを無視して、リビングのテーブルでゆっくりと紅茶を飲み、本を広げた。ときおり顔を上げ、美術館の壁にかかった絵をながめるような目で、私たちを交互に見た。

昼食の時間になると、奥さんは銀色のナイフでゆっくりとりんごの皮をむき、その実を小さく切って食べた。りんごの香りに、口の奥がキュッとして唾液《だえき》がたまった。気がつくと大きな窓から差し込む日の光が傾くにつれ、両腕がじんじんとしびれた。私の体は前屈《まえかが》みになって、バケツの水がぽちゃんと揺れた。

私と副院長は反抗することもなく、この罰を受け続けた。

今思えば、同じ罰を受けている、という二人の間に漂う連帯感のようなものにも、奥さんは苛立《いらだ》っていたのだと思う。空腹にはなんとか耐えられたけれど、トイレを我慢するのがつらかった。自分の体がかすかに動くたびに膀胱《ぼうこう》に振動が伝わり、目の前が暗くなった。もう、このまま、立ったまましてしまおうと、下半身の力を緩めるのだが、尿はいっこうに出てこなかった。下腹部がぱんぱんに膨れてきた。

奥さんは私たちに背を向けて、ソファに座っていた。白いカーディガンをはおった小さな背中。つややかな栗色《くりいろ》の髪が両肩の上でカールしている。冬だったので、夕暮れは予想以上に早くやってきた。突然、奥さんが立ち上がり、私のそばに歩いてきた。奥スリッパが毛足の長いカーペットを踏む、ぱふぱふというまぬけな音が聞こえた。奥さんが私の前に立った。私より頭ひとつ小さい奥さんが私を見つめた。眉間に小さな皺がよったかと思うと、ふいに奥さんが腕を伸ばし、私の右頬を親指と人さし指の長い爪《つめ》でつまみ、ひねり上げた。痛さで顔が歪《ゆが》み、目じりに涙が浮かんだ。

「ごめんなさいは?」

「ごめんなひゃい」

口が歪んでいるので、きちんと発音ができなかった。奥さんはさらに爪に力をこめた。ぷつっと音がして皮膚が裂けた。痛みよりも熱さが頬全体に広がった。

「やめなさい!」副院長がバケツを置いて、こちらに駆け寄ろうとしてよろけ、床に置いたバケツの水が床にこぼれた。私の頬をつねり上げている奥さんの手首を後ろからつかんだ。ひっ、と奥さんが声をあげた瞬間に、私の足の間から液体が流れ、床にしゃがみこんだ奥さんのほうに広がっていった。副院長と奥さんは声もあげずに、床の上をただ呆然《ぼうぜん》と眺めていた。体を動かそうとしても動かず、長い時間をかけて私の膀胱は空になった。私はバケツを置いて、部屋の隅にあったバッグからタオルを取りだして床を拭《ふ》いた。

「ごっ、ごめんなさい」その日初めて、心から出たわびの言葉だった。黄色く染まったタオルをそのままバッグにつめ、部屋を飛び出した。私を追いかけるように、奥さんの長く、ひきずるような嗚咽《おえつ》が聞こえてきた。

総合病院をくびになったあと、私を拾ってくれたのが、この街にただひとつあった助産院の院長だった。

「手を見せてごらん」そのとき、すでに七十歳に近くなっていた院長は、老眼鏡をかけて、私の手を自分の手のひらにのせ、しげしげと眺めまわした。銀髪の院長の頭が私の目の前を上下した。手相が関係あるのか、と思う間もなく、院長が言った。

「ふっくらしたいい指だ。産婦さんの大事なところをしっかり守れる産婆《さんば》の手だね。明日からいらっしゃい」その一言で再就職が決まった。院長に言われて自分の手をじっと見た。手や指が助産師向きだなんて言われたのは、生まれて初めてだった。

「セックスがうまい人はお産もうまいの」

「お産がうまくいくととっても気持ちがいいのよ。セックスのときに感じるエクスタシー以上よ」

「子どもを産んでもエロスを忘れちゃダメなのよ」

雑誌の取材や講演会で話す院長のこんな言葉は、ある種の人たちからは大きく支持され、ある種の人たちから激しく非難された。先輩助産師さんが、やんわりと、もう少し発言をおだやかに、と頼むと、

「ほんとのことを言って何が悪いの、戦時中でもあるまいし」とカラカラ笑った。

「院長は魔法使っているからね」先輩たちの言葉どおり、私や先輩がどんなに力を尽

くしてもなかなか進まないお産でも、院長にバトンタッチした瞬間に、固く閉じられた花のつぼみが開くように子宮口が開き、赤ちゃんが院長の手の中にするりと下りてくる、ということが数え切れないほどあった。

院長と自分との助産師としての力の差に、仕事を放り出したくなることもあった。けれど、夫婦関係がすでに破綻《はたん》していた私は、自分の力だけで食べていく必要があった。卓巳を連れて、この街から逃げ出す勇気も、経済的な余裕もなかった。神業のような院長の仕事を目にするたびに、おへその下に重い鉄球が埋めこまれたような気がした。この人についていかないとだめなんだ。そう決めたら、私はもう新聞の求人欄の細かい文字を追うことはなくなった。

駅前の古ぼけたビルの階段を駆け上がると、にぎやかな笑い声が聞こえてきた。ドアを開けると、白いワイシャツに細い黒いネクタイをしめ、しわひとつない白衣を着たリウ先生が年配の女性たちに囲まれていた。私の姿を認めると、ぱん、と手を叩《たた》いて、「さぁ、次のお客さまがいらっしゃいました。今日はこのへんにしましょうか」と、リウ先生がよくとおる大きな声で言った。ガタガタと折りたたみ式の椅子《いす》を片づけながら、何人かの女性が私の顔をちらりと見た。

このビルに漢方薬局ができたのは、五年前のことだった。冷えとか、便秘とか、妊娠中によく起こるちょっとした体の不調を漢方薬や鍼灸《しんきゅう》でどうにか解消できないかと思っていたころで、先輩の助産師からリウ先生を紹介された。私の助産院では、妊娠初期と臨月に入る前に、それぞれ連続して四回、妊娠中の過ごし方や、お産の進み方をレクチャーする産前教室を行っていて、リウ先生にはそのうちの一回、体の不調を解消するためのセルフケアについて話をしてもらっていた。

「あれ絶対、韓国あたりでがっつり整形してますってば」と、みっちゃんが陰口をたたくほど整った顔をしたリウ先生のクラスは産婦さんたちにも人気があった。私より年上のはずなのだけれど、顔には一個のシミも、髪には一本の白髪もなく、私よりもはるかに年下に見えた。

みっちゃんが、リウ先生に若さの理由を尋ねると、「漢方薬は中国の皇帝が不老不死を求めて発達した薬ですから。飲み続けている私が若々しさを保つのは当たり前のことです」と、普段より、たどたどしい日本語で答えながら、ぎゅっと見つめられたのだそうだ。「あの目力で、あのセールストークされたら、おばちゃんたちは簡単にころっといっちゃいますよお」と、普段から「男は顔じゃなくて、肩幅と筋肉量」と言い放っているみっちゃんですら、興奮したように言った。

目の前に、そのリウ先生が座り、私が出した舌を観察している。漢方では、舌を見てその人の体調を把握するのだそうだ。

「また、あなた、寝ていないでしょう。眠らなくても横になるだけでもいいんですよ。短い時間でもね。少しでも体力を蓄えるような気持ちでね。このまま、消耗ばっかりしていたら、更年期をこえられませんよ」上瞼《うわまぶた》に密集するように生えたまつげをふせて、リウ先生が机の上の紙にペンを走らせた。「体は休みたいと、こんなに大声で叫んでいるのにね」

そう言いながら、リウ先生は調剤室のほうに消えていった。私がリウ先生の漢方薬局に通うようになったのは、半年前のことだ。産前クラスにやってきたリウ先生に「産婦さんたちよりもあなたの体のほうが、あやういです」と言われたからだ。確かに、体の疲れがいつまでもとれなくて、めまいやひどい頭痛が続いていた頃だった。それ以来、リウ先生の調剤した漢方薬をのみ続けている。劇的に体調が良くなったわけではないけれど、目覚めたときの不快感や疲れはちょっとずつ軽くなったような気がする。

薬の調剤を終えたリウ先生が、茶色の小さなポットと茶碗《ちゃわん》を載せたお盆を持ってきた。

「あなただけじゃない。日本の女の人はなんだってこんなふうに働きますか？　だから、お産もうまくいかなくなる。ガス欠のまま、エンジンをふかし続けているようなものですよ。体力なんて気力次第でどうにもなると思っているでしょう。あなたの年齢でそれをしていたら、確実に寿命が縮まりますよ。あなたの負担を減らすような働き方はできないの？　助産師さんをもっとたくさんやとうとか」

「それは経済的に無理ですよ先生」

「人件費を抑えたいから？　お金持ちになりたいの？　今以上に？」笑いながら言ったリウ先生が、小さな青磁の茶碗にお茶を注いでくれた。いい香りですね、と言うと、完璧《かんぺき》な歯並びを見せて、リウ先生がにこっと笑った。

「自分の体をいじめるみたいに働くのはよくないね」

リウ先生がお茶を一口飲んで言った。茶碗からたつ湯気が、冬の午後のやわらかな日差しに照らされて、ゆるゆると立ち上っていった。こんなふうに座ってゆっくりお茶を飲むのは、とても久しぶりだった。

「先生………、助産師って、元気に生まれてくる赤んぼうの手助けをするだけじゃないでしょ」リウ先生が私の顔を見た。

「病院に勤めていたときだって、今だって、思っている以上に子どもはたくさん死ぬんですよ」リウ先生は茶碗を手にしたまま、私の話す言葉にじっと耳を傾けていた。

「自分がどんなに手を尽くしても、生まれてきて、すぐに亡《な》くなるような赤ちゃんとか。その冷たくて固くなった体を思い出すとね、寝ていられないのね。人生を全うできなかったあの子たちの人生も生きなくちゃ、という気持ちになるんですよ」

私の顔を見ていたリウ先生は、ふうん、と言ったまま、小皿に載った松の実をポリポリとかじった。あなたも、と言うように、無言で小皿を私のほうに傾けた。すすめられるまま、松の実を口に入れ、奥歯で嚙《か》みしめた。

「でもね、赤んぼうが死んだのは、あなたのせいじゃないです。それはその子の寿命」リウ先生の声が、通りを走り抜ける街宣車の騒音にかき消された。

「寿命……」と言いかけたまま、口をつぐんでしまった。

自分のなかの、このもやっとした気持ちを、中国人のリウ先生にうまく説明できるか自信がなかった。寿命だから、運命だから、仕方がないのだ、とリウ先生以外の人にも言われたことがある。あの子たちはほんの短い日数で自分の人生を全うしたのだと。でも、もし本当に寿命や運命だとして、なんだって子どもたちは、そんなに短い人生を過ごすために、この世に生まれてくるのか、その意味を私にもわかるように教えてほしかった。全身を震わせて小さな棺《ひつぎ》にとりすがるようにして泣く若い親の姿を見るたびに、そう思った。どんな宗教も、前世が、生まれ変わりが、というオカルティックな話にも、私は納得できなかった。誰でもいいから、あぁ、あの子たちの短い人生にはそういう意味があったんですか、と私を納得させてほしかった。

しばらく黙っていた私の顔を見て、でも、だいじょうぶです、とリウ先生が言った。

「あなたが忙しいの、もう少しで終わります。私の大学のときの同級生で、生殖医学の研究をしているドクターが言っていましたよ。男性の精子はね、世界規模で減っているそうですよ。上海《シャンハイ》の精子バンクでも健康な精子は約二割しかない。日本だって同じ。二十代男性の精子の数は、四十代の半分しかないっていうデータも見ました」

リウ先生が、茶碗に残ったお茶を飲み干した。白いのどぼとけが上下した。

「もう子どもはそれほどたくさん生まれてきませんよ。日本でも、中国でも。そうしたら、あなた、ゆっくり休めるようになる」

「食いっぱぐれちゃいますよ先生。助産師以外の仕事をしたことがないのに私」

「だいじょうぶ。そうしたら、あなた、ここで店番しなさい」と笑いながら、リウ先生が私の目をぎゅっと見つめた。

「リウ先生はねー、中国に留学してた日本の女の子おっかけて、日本に来たらしいっすよ。北京《ペキン》の大学の医学部のエリートだったらしいのにねぇ。苦労して日本の医師免許までとったのに、その彼女、結局、日本人の医者と結婚したらしくて。……素材はいいのに女で人生ダメにする典型的なタイプですよねー、あの人」という、みっちゃんの話を思い出しながら、私は少しだけ早くなった自分の鼓動に自分でもびっくりして、あわてて松の実をつまみ口の中に放り投げた。

「あ、じゃあ、まずこの問診票を書いてくださいね」

小太りで背が低く、鎖骨のあたりまで伸ばした茶色い髪の毛を縦にカールさせた産婦さんがやってきたのは、木曜日の午後のことだった。何かを言いかけた彼女に「書き終わるころに戻りますから」と言い残して、バタバタと廊下を歩き、みっちゃんがお産を介助している奥の部屋に入った。さっき入院したばかりの長谷川《はせがわ》さんが、よつんばいになって、痛みをこらえていた。みっちゃんとともに、だんなさんも産婦さんの隣に跪《ひざまず》き、腰のあたりをさすっていた。長谷川さんの顔は痛がってはいるものの、まだ余裕がある。

「せんせー、これ、まだ続くの〜？」と私の顔を見上げながら言う。

「まだまだ。うまくいけば、日が変わるころには、生まれるかな」と言うと、

「もう、あたし、陣痛、飽きたー。代わってほしいー」と泣きそうな顔をしながら、

だんなさんが着ているTシャツの胸ぐらを片手でつかんだ。頭に白いタオルを巻いただんなさんは、「そりゃ代われるもんなら代わってやるけどさー」と、私の顔を見て苦笑した。

「そんなふうに話ができるくらいなら、まだまだだよ。じゃあ、もう少ししたらまた様子を見に来るからね」と私が部屋を出ようとすると、突然「ああ――っ」と、長谷川さんの声が大きくなった。振り返って、「やっと本格的になってきたね。よしよし」と笑いかけると、「せんせーの顔が鬼に見えてきたー」と、眉間《みけん》にしわを寄せて怒ったように言った。

さっきの産婦さんを待たせている和室の襖《ふすま》を開けようとすると、えーん、と子どもの泣くような声がした。驚いて部屋に入ると、産婦さんが机につっぷして泣いていた。あわてて「どうしたの！　どこか痛い？」と聞くと、

「違いますー、声がー、声がー、だって、とっても痛そうでー」としゃくり上げる。あっけにとられていると、しゃくり上げながらもポケットティッシュで大きな音を立てて鼻をかみ、バッグから取り出した小さな手鏡を見ながら前髪を直した。

「すっ、すっ、すみません。あたし、斉藤くんの担任の野村千栄《ちえ》です」と、目じりにマスカラがにじんだ顔で私を見つめたあと、深々と頭を下げた。奥の部屋から、長谷

川さんの陣痛に耐える声が聞こえてくるたびに、野村先生が体をぴくっとさせた。みっちゃんが、お茶を出してくれた。

「先生、ごめんなさいね。午後に来る予定だった産婦さんと勘違いしてしまって。先生が妊娠してらっしゃるなんて、ぜんぜん知らなくて。先生はいつ、ご出産なんですか？」私の顔を見ていた、野村先生の不自然に大きすぎる目の中にみるみるうちに涙がたまっていった。

「なんで私が妊娠してるってわかるんですか――。誰にも言ってないのにー」と再び大きな声で泣き始め、マスカラがにじんだ黒い涙がポロポロと流れていった。お盆を持って和室から出て行こうとしたみっちゃんと二人、あっけにとられて顔を見合わせた。野村先生のおなかのでっぱり方や姿勢、醸《かも》し出す雰囲気は、どう見たって妊娠中の女性にしか見えない。

「卓巳くんの家庭訪問に来たのにぃ」と言いながら、興奮したままいっこうに泣きやまないので、野村先生の事情をみっちゃんと聞き出した。生理が来なくなったときに、一回、産婦人科に行ったきりで、母子手帳もまだもらっていないのだという。みっちゃんが私の顔を見て、わざとらしく眉間に皺《しわ》を寄せた。

「今の彼と結婚するかどうかもわからないしぃ、出産する病院もまだ決めてないんですよぉ。どうやって探したらいいかもわかんないしぃ」と泣きながら野村先生が言うと、みっちゃんが聞こえないくらいの小さな舌うちをした。私はみっちゃんを軽くにらんだ。

「一回ね、産婦人科できちんと診察を受けて、もし、何も問題がなければ、ここで産むことを考えてみますか？」奥の部屋から、長谷川さんの声が断続的に聞こえてきた。

野村先生がしゃくりあげる声が大きくなった。

「私には産めないですよー。あんなに痛がっているのに――――。注射だって大嫌いなのにぃ」と野村先生が言った瞬間に、みっちゃんが両手でテーブルを強く叩《たた》いたので、茶碗の中のお茶が茶托《ちゃたく》にこぼれた。

「中絶できる時期なんて、とっくに過ぎてるんだよこのバカ妊婦が！　できちまったもんは産まなきゃしょうがねーだろーが。母親がそんなんでどうするんだ！」

「ちょっとちょっとみっちゃん。卓巳の担任の先生なんだよ。いくらなんでも、それは言い過ぎだから」と興奮して立ち上がったみっちゃんの体をおさえた。

「ここで産みたいなら、先生の手をわずらわせるなよ。あたしがあんたを担当するから」いやだーこわいー、お産もこの人もー、と野村先生の泣く声と、長谷川さんの部屋から聞こえる叫び声が頭蓋骨《ずがいこつ》の内側で反響するように響いて、また、左右のこめかみがずきずきし始めた。

生徒にのっちーと呼ばれているらしい野村先生は、隣町の総合病院を受診したものの、すでに予約がいっぱいで分娩《ぶんべん》を断られ、お産とみっちゃんを極度に怖がりながらも、ここで出産することになった。私とみっちゃんの予想どおり、野村先生はすでに妊娠七カ月に入っていて、桜が咲くころが出産予定日だった。「妊娠しているのに、おなかが大きくなってきたのは、便秘のせいだと思ってましたーとか言ってる女子高生と変わらないすよ。あんなのが先生なんだから、日本も終わりっすよ」とみっちゃんはぷりぷり怒りながらも、なんだかんだと、学校の帰りに健診でやってくる野村先生の面倒を見ていた。野村先生は、妊娠前から十分に太っていたので「出産まで体重はもう一キロも増えなくてもいいんだからね！」と口では怒りながら、助産院で出す夕食のおかずを、タッパーに入れて持たせたりしていた。

子どもができたのに結婚をしぶっている野村先生の彼氏を呼び出して、懇々《こんこん》と説教をした、と聞かされたときは、「いくらなんでもそれはやりすぎだよ」と釘《くぎ》を刺したのだけれど、「みっちゃん先生のおかげで結婚が決まりましたー」と、はしゃいでいる野村先生の笑顔を見ると、もう何も言えなかった。

野村先生は健診が終わると卓巳の部屋に行き、宿題のプリントを渡したり、学校の話をして帰っていった。しばらくの間は、「斉藤くん、あんまり私と話をしたくないみたいですねー」と、肩を落として帰ることが多かったのだけれど、ある日、野村先生が笑った顔で階段を下りてきて、私の腕を強くつかみながら興奮して言った。

「あたしっ、なんか、卓巳くん大丈夫なような気がしてきました」

「えっ」

「あたしのおなか見て、のっちー冷やしたらだめだぞ、って」と言いながら、野村先生の目から涙がぽろぽろとこぼれた。その顔を見て、私の目にもあっという間に涙がたまった。薄暗い廊下に立ったまま、野村先生と二人、声をあげて泣き続けた。

良太はバイトの前にやってきて、何を話すわけでもなく、卓巳の部屋でゲームをしたり、マンガを読んで帰っていった。卓巳の彼女だとばかり思っていた小さな七菜ちゃんは、朝早く家にやってきて、階段の下から、「さいとうく――ん」と大きな声で卓巳を呼んだ。十分だけ待って何も返事がないと、「赤ちゃん見ていってもいいですか?」と、沐浴《もくよく》のために診察台のベッドに並べられた新生児の着替えを手伝ってくれた。

「赤ちゃん好き?」と聞くと、

「はい。あたし、斉藤くんのお母さんみたいになりたいから」

「助産師？　もうからないし、休めないし、なーんにもいいことないよ」と言うと、七菜ちゃんは突然、弾《はじ》けたように笑った。「斉藤くんも同じこと言ってました」

突然、二階のほうから、みっちゃんの大きな声と掃除機をかける音が聞こえた。沐浴したばかりのほかほかの新生児たちを、あわてて産婦さんの部屋に戻し、七菜ちゃんとともに階段をかけ上がると、

「二階のこの部屋がこんなに汚れてたら、下にいる赤んぼうがほこりを吸うでしょうがー！」

と言いながら、マスクをしたみっちゃんが掃除機のホースを振り回していた。

「今すぐ風呂《ふろ》入って、朝ごはん食べてきな！」と、ホースで卓巳のおしりをぐいっと押した。卓巳は寝ぼけた顔で、ぼんやりとしたまま、私と七菜ちゃんの顔を見て、頭をかきながら階段をゆっくり下りていった。

みっちゃんは、こんなふうにして毎朝、卓巳の部屋に奇襲攻撃をかけた。

「四番目の弟の不登校もあたしが直したんで」と自信満々にみっちゃんが言うように、卓巳が昼間起きている時間は少しずつ伸びていき、毎朝、家に迎えに来る七菜ちゃんに連れられて、久しぶりに学校に行くようになった。週に一回の登校が週に二回にな

り、また、週に一回に戻り、行きつ戻りつしながら、卓巳は少しずつ元の高校生の生活に戻っていった。

二月になって、さらに冷え込む日が多くなった。結露した窓の水滴を拭《ふ》いていると、白い息を吐きながらサイクリングロードをジョギングする人たちが見えた。台所で、入院している産婦さんたちの食事の準備をしていると、制服姿の卓巳が顔を出し、台所のテーブルに座った。

「今日は早いね」そう言いながら、卓巳の前に、熱々のおみそ汁を出した。

「卒業式の準備委員の仕事があるから」そう言いながら、ごはんをかきこんだ。卓巳が毎日学校に行き、こうして朝ご飯を食べてくれる、そんなごく当たり前のことがうれしかった。

相変わらず、産院のメールアドレスには、卓巳のコスプレ写真を貼《は》り付けたメールや、私や助産院のことまでも中傷したメールが送られてきた。けれども、年末年始に比べれば、その量は次第に少なくなっていった。卓巳のしたことに早くみんなが飽きてくれればいい。時間が過ぎて、あっという間に忘れてくれればいい。毎日、心の底から強く思った。顔も知らないどこかの誰かに、悪意を向けられるのはもう十分だった。

「松永がインフルエンザで寝こんでるから一人で行く」そう言いながら、卓巳が立ち上がった。台所で洗いものをしながら、「いってらっしゃい」と声をかけた。熱いお湯で皿をゆすぎながら、自分でも気付かないまま口笛を吹いていた。産婦さんたちが使った朝食の食器をお盆に載せてやってきたみっちゃんが、「せんせーの口笛、めちゃくちゃおんちっすねー」と笑った。そのとき、玄関先でがちゃんと物が割れる音がした。

みっちゃんと顔を見合わせ、玄関の外に出た。ドアを開けると卓巳が両腕で顔を覆《おお》ってしゃがみこんでいた。

「どうしたの？」と肩をゆすると、私の腕をふりほどいて立ち上がり、家の中に入って行った。一瞬、見えた横顔が真っ白だった。スニーカーを脱ぎ捨て、階段をものすごい勢いで駆け上がる卓巳の背中を見つめている私にみっちゃんが、「先生、これ」と、玄関先に落ちていたコンビニのビニール袋の中から、ふたのついた小さな壺《つぼ》のようなものを手渡した。

卓巳が落としたせいなのか、蓋《ふた》の部分には大きくひびが入っていた。大きめの湯のみくらいのその壺には見覚えがある。骨壺だ。勤めていた病院や、ここで生まれた赤ちゃんが亡《な》くなったとき、仏壇にお線香をあげにいったときに見たことのある子供用の小さな骨壺だった。骨壺を持った手が震えて、ひびの入った蓋が地面に落ちた。壺の中には小さく折りたたまれた紙が入っていた。広げると、黒いクレヨンのかすれた文字が見えた。わざと崩した子どものような文字で、「あんずとおまえのこどものほね」と書かれていて、壺の中には白っぽい骨のようなものが入っているのが見えた。私が手にしている骨壺の中を、みっちゃんがのぞきこんだ。

「先生……、これ、きれいに洗ってあるけどフライドチキンかなんかの骨ですよ多分」そう言いながらビニール袋の中に骨壺を入れ、「ひっでーことすんなー」と、ビニール袋の口を両手でぎゅっと閉じた。

「燃えないゴミの日でよかったですよ」と言いながら、みっちゃんはサンダルばきでゴミ捨て場のほうに駆けていった。ふと顔に冷たいものが触れた。見上げると、灰色に厚くたれこめた雲から、雨まじりの雪が降ってきた。卓巳はその日以来、再び部屋から出てこなくなった。


産婦さんのための食事の買い物に出かけても、スーパーで目につくのは、卓巳の好物の材料ばかりだった。にんにくをたっぷり入れたギョウザを作ろうか、ごぼうのささがきを入れたハンバーグにしようか、と思いかけては、お産がたてこんでいるここ数週間はそんな暇なんてないんだ、と思い直し、みっちゃんに渡された買い物リストを何度もチェックした。

卓巳は部屋から出てこないだけじゃなく、食事もあまりとらなくなった。ずっと同じジャージを着たまま、トイレに行くときと、のどが渇いたときだけ、ふらふらと部屋から出てきて、すぐに部屋に戻って行った。ちらりと顔を見ると、伸びすぎた前髪の間から、目だけが鋭く光っていた。前のように、みっちゃんが掃除機をかけに卓巳の部屋にいきなり入っていっても、布団《ふとん》の中に入ったままで、ぴくりとも動かなくなった。卓巳がトイレに行ったすきに、みっちゃんは卓巳の部屋からはさみやカッターを探し出し、エプロンのポケットに入れて、二階から下りてきた。「まさか、ということもありますから」と言ったみっちゃんの顔は真剣で、目が笑っていなかった。

お産に集中していても、ふと、クレヨンで書かれた文字と、小さな骨壺が目に浮かんだ。他人に悪意を向けるためだけに、用意周到に準備する誰かのことを思った。どうか、そのエネルギーを自分の人生のために向けてくれないか、と。夕方になると、みっちゃんは「先生は一日一回外に出ないとだめ」と、毎日、私をスーパーまで買い物に行かせた。

サイクリングロードをぼんやり歩いていると、前のほうから自転車のベルの音が聞こえた。顔を上げると、重たそうな黒いコートを着たリウ先生が私の前に自転車を止め、大きな声で言った。

「幽霊みたいな顔してますね。……あなた、薬、取りに来るの忘れているでしょう？駅前まで行くのなら帰りに店に寄ってください」私の返事を待たずに、リウ先生が向かい風に灰色のマフラーをなびかせながら、自転車で去って行った。

食材がたっぷり入ったリュックサックを背負い、青ねぎの飛び出したトートバッグを抱えて、階段を上がると息が切れた。漢方薬局のドアを開けると、奥からリウ先生が顔を出した。

「今、おいしいお茶とお菓子を出しますから。そこに座って」

リウ先生の店の中は、暖房がほどよくきいていて、リュックサックに入れた魚と肉の鮮度が気になりつつも、私は重い荷物を床に置いた。ピアノとバイオリンの曲が小さな音で聞こえてきた。私はコートを脱いで椅子に座り、音楽に耳を傾けた。

普段はテレビも見ないし、ラジオも聞かない。産婦のうめき声と、新生児の泣く声だけを何年も聞いて過ごしてきた。目の前の棚に置かれた、漢方薬局にしてはやけに立派なスピーカーを見て、ふと、父親のことを思い出した。私が小学校に入った年、父が私の身長ほどもある、やたらに大きなスピーカーを買ってしまって、母と大げんかになった。ボーナスのほとんどを、父はそのスピーカーに使ってしまったからだ。ナット・キング・コールやセルジオ・メンデスや、アンディ・ウィリアムスやクロード・ドビュッシーや、どこか知らない国の民族音楽を、「この曲はどうだ？」と次々に聞かせては、私が「あんまり好きじゃない」と言うと、ひどく寂しい顔をした。

「いい曲でしょう。馬思聡《マー・スツォン》という人の揺籃曲《ようらん》、つまり子守歌ね」そう言いながら、リウ先生が私の前に座った。

「すばらしい作曲家でしたが、文化大革命のときには、この人の楽譜もレコードもぜんぶ焚書《ふんしょ》されてしまったんですよ」さ、どうぞと、リウ先生が小さなガラスのお皿に盛った焼き菓子と、お茶をすすめてくれた。

「私の父もなかなか大変だったですよ、そのときはね」

「文革のときですか？」

「そうです。西洋医学の医師だったけれども、突然、北京で漢方を勉強するように言われてね」

「文革って本当にあったんですね」私が言うと、そう、本当にぜんぶ起こったことです、とリウ先生が目をふせたまま小さな声で言った。

「母は父が北京に行っている間に病気で亡くなってしまいましたけどね」

「そうだったんですか……」

「でも、悪いことはずっと悪いままではないですよ。ぼくは父の姿を見て、同じ道を志そうと思ったわけですから。……孝行息子も今ではすっかり放蕩《ほうとう》息子になってしまいましたけれどね。つまり、いいことも長くは続かないということね」

リウ先生が白い歯を見せて笑い、すっと息を吸うと、まるで呪文《じゅもん》を唱えるように言った。悪い出来事もなかなか手放せないのならずっと抱えていればいいんですそうすれば、

「オセロの駒《こま》がひっくり返るように反転するときがきますよ。いつかね。あなたの息子さんが抱えているものも」リウ先生が指をぱちんと鳴らした。

「これくらいの出来事だと思いなさい。花粉を抱えたミツバチが花に触れたくらいの」

私の目を見つめるリウ先生から、目をそらして言った。

「そう……心から思えたらいいんですけどね」そのとき、ポケットの中の携帯電話が震えた。みっちゃんからだった。産気づいた産婦さんが二人、助産院に向かっているのだという。今すぐ戻るから、と言って電話を切り、リウ先生が調合してくれた漢方

薬をリュックサックに入れ背負うと、自然におへその下に力が入った。

「目の色が変わりましたね。仕事をするときはそれでいいです。でも時には、ゆるまないとだめなんですよ」そう言いながら、リウ先生は手早く焼き菓子を紙ナプキンに包み、私のコートのポケットに入れてくれた。

「ときどきは、おいしいお茶を飲みながら、音楽を聞きましょう」私と、と言いながら、リウ先生の細い指が伸びてきて、その指先が私の右頬の傷に触れた。

「先生、どっちの産婦さんも今すぐ生まれそうなんです」

走って家に帰ると、みっちゃんが泣きそうな顔で言った。あわてて、買い物したものを冷蔵庫に入れ、着替えるために階段を駆け上がった。みっちゃんがお昼に用意してくれた食事が、手をつけずに廊下に置いたままになっていたので、卓巳の部屋のドアを開けた。掛け布団がめくれて、しわくちゃのシーツが見えた。手で触れてみると、ひんやりと冷たかった。いつも冬に着ているダウンジャケットも、壁際《かべぎわ》に吊《つ》るされたままになっていた。せんせー、と、階段の下から、みっちゃんの大きな声がした。

二人の産婦さんどちらも、あと二、三時間後には赤んぼうが生まれてきそうだった。お産を放りだして、卓巳を探しに行くわけにはいかない。みっちゃんに気付かれないように、陣痛の合間に、良太の家に電話してみた。バイト中なのか、呼び出し音が鳴るばかりだった。野村先生に電話をかけようとして、妊娠中の女性に余計な心配をかけちゃいけない、と踏みとどまった。卓巳の父親に電話することも、ほんの少しだけ考えた。でも、それも迷った末にやめた。

今はとにかく、二人のお産を無事に終わらせることだけを考えようと思った。自殺なんかする子じゃない、と自分で自分に言いきかせた。みっちゃんが見ている産婦さんと自分が見ている産婦さんを交互に見た。同じくらいの時間に赤んぼうが生まれてきそうだった。みっちゃんを廊下に連れ出し、「一人でできるよね?」と聞くと、みっちゃんは小さくうなずいたものの、私の腕をつかんだ手がかすかに震えていた。

陣痛の合間には、産婦さんをリラックスさせるためにいろいろな話をする。産婦さんが笑うと、お産も進むからだ。明日の天気の話や、駅前のおいしいパン屋さんの話、立ち会うだんなさんの仕事の話、そんなごく日常的なおしゃべりの合間に、赤ちゃんは産道の中を進んでくる。大橋さんという産婦さんが、そんな話の合間、陣痛に顔をしかめながら私に質問した。

「……先生はなんで、助産師になろうと思ったんですか?」

「小学校に入ったときに、父の田舎で牛のお産を見てからかな」と言いながら、そのときの風景を思い出していた。牛を飼っている親戚《しんせき》の家だった。母親に早く帰るようにせかされても、子牛が生まれるまで、しゃがんで鉄柵《てっさく》をつかんだまま、その場所を離れることができなかった。母牛の体から、少しだけ出てきた子牛の前足。羊水に濡《ぬ》れた子牛の体から立ち上る湯気。学校の授業や、テレビでは絶対に味わえない、いのちの出来事に、心を奪われてしまったのだ。初めてお産に立ち会ったとき、産婦さんの体から流れ出てくる羊水の温かさに感動した。こんなに温かくてやわらかな水の中でいのちが育ち、この世界に生まれ出てくる。その現場にいつもいたかった。眠れなくても、食事ができなくても、儲《もう》からなくても、お産の場所にいたかった。

「先生、大きいお子さんもいて、仕事もして、本当にすごいね」陣痛に顔をしかめながら、そんなことを言ってくれる大橋さんに、でも、その息子が今、家を飛び出して行方不明でね、とは絶対に言えなかった。

午後十一時近くになって、なんとか大橋さんの出産が終わった。隣の部屋をのぞくと、産婦さん以上にみっちゃんの顔がこわばっていた。みっちゃんに近づいて、「ちょっとだけ代わろうか。みっちゃん、休憩しておいで」と耳元にささやいた。私が体に触れると、山田さんという産婦さんの表情が少しだけやわらいだ。みっちゃんはそんな山田さんの顔を見ながら、襖《ふすま》をそっと閉め、部屋の外に出て行った。しばらくして台所にみっちゃんを呼びに行くと、こちらを向いたみっちゃんの目が真っ赤に腫《は》れていた。

「どうしたの？」

「先生みたいにできないし、あたし」みっちゃんがしゃくり上げながら言った。

「山田さん、あたしが何か言うと緊張していくのがわかるし」

「通ってきた道だよ。みんなが」

「怖くて怖くて仕方がないんすよ」

「みんな同じだよ。私だって今でも怖いの。心の中で神さまに頼むんだよ」

そのとき、ふと思い出した場所があった。なぜだか、卓巳がそこにいるような気がした。

「みっちゃん。私ここにずっといるから。今日は一人でやってごらん。どうしようもないときだけ私に声をかけて。ね」

泣き腫らした目でしばらくの間、私の顔を見ていたみっちゃんは、台所の流しでざぶざぶと顔を洗い、ハンカチで顔を乱暴に拭《ふ》くと、両手で自分の顔をぺしぺしと叩《たた》きながら、廊下の奥へと歩いていった。

次第に高まっていく山田さんの声の表情で、そろそろお産のゴールが見えてきたことがわかった。みっちゃんが山田さんを励ます声がここまで聞こえてきた。日にちが変わるころ、やっと赤んぼうの泣き声が聞こえた。山田さんの部屋の襖を開けると、汗をびっしょりかいたみっちゃんが、真剣な顔で臍帯《さいたい》の処理を始めようとしていた。後ろからみっちゃんの肩に触れると、驚いた顔をして振り返った。

「先生が入ってきたの、ぜんぜん気がつかなかった」

「もうできるね。一人前だね」

「先生もう少しなんだから、あたしを泣かせないで。手元が見えなくなる」とみっちゃんが怖い顔で言った。山田さんの体と生まれたばかりの赤ちゃんをチェックしてから、出産直後の二人の産婦さんをみっちゃんに任せて、私は家を出た。玄関で「卓巳がいなくなったの」と、みっちゃんに小さな声で言うと、せんせ、ごめん、とまた泣きそうな顔になった。卓巳のダウンジャケットと、懐中電灯、温かい番茶を入れた水筒を突っ込んだリュックサックを背負い、自転車で真夜中のサイクリングロードを突っ走った。

卓巳は小さなころからよく熱を出す子どもだった。今日みたいにお産にかかりきりで、二階に寝かせていた卓巳の世話が後回しになることが何度もあった。真夜中に高熱でぐったりした卓巳をおんぶして、救急の小児科までこの道を走った。お産のことはよく知っていても、子育てのことはまったく不慣れだった。仕事をしている母親の背中を見て育ってくれればいい、と、わかったような顔をして、本当は不安だらけだった。正直に言えば、卓巳の父親が出て行ったときも、卓巳の写真がネットでさらされたときも、どうしていいかわからず、仕事の忙しさに逃げ込んだのだ。助産師のスキルもキャリアも、なんの役にも立たなかった。十五年も母親をやっていたって迷うことばかりだ。

人気のない小さなこの街の中心部を抜けて、梨畑《なしばたけ》の脇《わき》の細い道を走り抜けた。山が近づくと、街灯が少なくなり、気温も低くなったような気がした。長い石段の下に自転車を止めた。月が明るかったけれど、すぐに雲に隠れてしまったので、足もとを懐中電灯で照らしながら、私は石段を登り始めた。

卓巳と二人で生きていくために、貯金をはたいて助産院を開いたとき、赤んぼうを取り上げる仕事の責任の重さに毎日おしつぶされそうだった。助産院を始めるときにいろいろと世話をやいてくれて、自分のことのように喜んでくれた院長は、助産院を開く直前に亡《な》くなった。荒れ狂う真夜中の海に、卓巳と私二人だけで、投げ出されたような気持ちだった。

時間があれば、ここに来て手を合わせた。今までにとりあげた子、とりあげられなかった子、私の手の中ですぐに亡くなってしまった子、これからとりあげる子たちのことを祈った。助産院を始めたころは、一気に駆け上がることのできた石段も、今は半分も登りきらないうちに、息が苦しくなった。なんとか登りきると、鳥居をくぐって、懐中電灯で真っ暗な境内をゆっくりと照らした。木々や葉を照らす光の形が、強い風に吹かれて、不気味に歪《ゆが》んだ。足もとの枯れ葉が舞い上がり、私の顔にあたった。どこからか、山鳴りのような、獣の鳴き声のような震える音が聞こえた。耳たぶと指先が寒さでちりちりと痛んだ。境内をゆっくり歩いて行くと、懐中電灯の光が、手水《ちょうず》舎《や》の奥にある見慣れた緑色のスニーカーをとらえた。近づくと、手水舎の横に卓巳が体育座りをして、両ひざの間に顔をうずめていた。

何も言わずに近づき、リュックサックからダウンジャケットを出して卓巳の肩にかけた。懐中電灯の光にまぶしそうに目を細めた卓巳が、ゆっくりと顔を上げた。泣いた顔に、どろやほこりがついて真っ黒だった。私の顔をじっと見ていた卓巳が、お母さん、と私を呼んだ。幼いとき、高い熱が出たときのようなぼんやりとした瞳《ひとみ》で言った。

「大きな声で泣いたら、赤んぼうたちが驚くからさ」

「だいじょうぶだよ。ここなら神さましか聞いていないんだから」

みるみるうちに卓巳の顔が歪んで、口が大きく開いていった。一瞬、ひゅーと息を吸う音がして、のどが張り裂けるような卓巳の泣き声が山の中に響きわたった。泣き続ける卓巳のそばを離れて、拝殿の前で私は手を合わせた。誰かに見られているような気がした。顔を上げると、雲の切れ間から銀色の丸い月が顔を出していた。卓巳が泣きやむまで、私は手を合わせ続けた。

神さまどうか、この子を守ってください。

予定日を間近に控えて、野村先生のおなかはさらに大きくなっていった。

「これを提出しないと斉藤くんは落第しちゃうんだからね」

和室のほうから、野村先生の大きな声がした。

「こんなレポート、天才のぼくが全部やってやるから、五分で」

「福田くんがやったら意味ないじゃん！　あたし、産休中なのに、斉藤くんのレポート提出が気になって気になって、ゆっくり休めないんだからね！」

卓巳と良太の笑い声が絶え間なく聞こえた。お茶とお菓子を載せたお盆を持って座卓に近づくと、野村先生が私の顔を見て、あっ、また、と言った。

「さっきから、すごく動いているんです」そう言いながら、野村先生が淡いラベンダー色のチュニックの上から、ぽこんと丸く膨らんだおなかをやさしくなでた。

「みんなの声に反応しているんだね。ほら、ここのかたくて飛び出しているとこ、かかとだよ。さわってごらん」おなかに触れながら私が言うと、良太と卓巳が手を伸ばして、野村先生のおなかに触れた。「こえー、動きまくってる。エイリアンみたい。のっちーの腹を食いちぎって出てきそう」と、良太が笑った。

「おれ、今、思いっきり蹴《け》られた」卓巳が言うと、「のっちーの子ども以下なんだよ。おまえの頭は」と良太が卓巳の頭を抱えて、くしゃくしゃにした。「先生の前で暴れない！」と私が怒鳴ると、笑ったまま野村先生が私の顔を見て言った。

「せんせー、あたし、今朝から腰が痛くて仕方がないんですけどー」

「あ、それ、規則的になってきたら陣痛だからね」そう言うと、みるみるうちに野村先生の顔から笑顔が消えて緊張していくのがわかった。

「いよいよか。がんばれよ、のっちー」良太が言うと、ありがとね、と言いながら、野村先生が泣きそうな顔で笑った。早く出てこいよー、と、卓巳が野村先生のおなかに声をかけた。ふいに、目のはしに涙が浮かんで、それをごまかすために、私はわざとばたばたと廊下に出て、野村先生がお産をする部屋の準備を始めた。空気を入れ換えるために窓を開けた。開花が近いせいなのか、サイクリングロードの桜並木全体がうす桃色にかすんでいるように見えた。

　そんな風景を見ながら、リウ先生がいつか私の目の前でしたように、ぱちん、と指を鳴らしてみた。リウ先生のようにきれいな音は出なくて、かすれた音がしただけだった。指を鳴らす音が消える間に、この窓からの風景が一瞬で消えるようなことが起こっても、私はこの世界に生まれてこようとする赤んぼうを助けるだろう。だから、生まれておいで。せんせー、とみっちゃんの声がした。はーい、と返事をしながら、ぺしぺしと頬を両手で叩いた。気合いを入れるときのみっちゃんの癖が、いつの間にかうつってしまった。開け放ったままの窓から、まだ、あまり上手に鳴けないうぐいすの声が聞こえてきた。春が、もう一度やってきたのだ。

解　説

重松　清

初めて出会った作家の作品を読むときの楽しみは、ストーリー展開を追うことだけではない。その作家ならではの文章の息づかいを探ることもまた負けず劣らず、いや、しばしばそれ以上に心躍らせてくれるものである。

窪美澄さんとの出会いもそうだった。僕にとっての窪さんは、まずなにより、すこぶる魅力的な言葉の遣い手として目の前に現れたのだ。

本書を単行本版で読んだのは二〇一一年四月。初版刊行は二〇一〇年七月なので、読者としてはかなりの出遅れ組である。もちろん作品への高い世評はあちこちで耳にしていたし、窪美澄さんという未知の作家への興味も人並み以上に抱いていたつもりだ。だからこそ逆に、気後れがあった。なにしろ、本書の巻頭を飾るデビュー作「ミクマリ」は、『女による女のためのR—18文学賞』の大賞を受賞している。四十代終盤の男としては、はたして自分に読み手の資格があるかどうかが気になってしまい、つい敬して遠ざける格好になっていたのだった。

だから、最初は遠慮がちにページを開き、おずおずと「ミクマリ」を読み進めた。

冒頭の段落三つで心をわしづかみにされた。

いちいちの引用は控えておくが、まずは男子高校生のてらいとケレンに満ちた息の長い語りで始まり、つづく段落では一転、高校の教室からあんずの部屋に入るまでをスピーディーに見せる。さらに三段落めでは、部屋の暗さに目が慣れるまでの流れとリンクして、描写が聴覚から視覚へと移っていく。緩急のつけ方や視点の動かし方が、とてもデビュー作とは思えないほどみごとなのだ。なにより、文章のうまさをただ誇るのではなく、読み手をつかまえて物語の中に引き込む握力が強いのだ。

思わず居住まいを正した。おい、ちょっとこれ、すごいんじゃないか、とページと目の距離がぐんと縮まった。「女のための」なんて、そんなの応募した賞の名前の一部に過ぎないんだよ、と当然のことにようやく気づいた。

あとはもう一気呵成《いっきかせい》。前のめりになったままページを繰りつづけた。ときどき息継ぎのように顔を上げ、虚空《こくう》をじっと見つめたり、腕組みをして目をつぶったりした。「ミクマリ」から「世界ヲ覆《おお》フ蜘蛛《くも》ノ糸」「2035年のオーガズム」「セイタカアワダチソウの空」をへて、掉尾を飾る「花粉・受粉」まで――一冊を読み終えたあと、この作家とは読み手として長い付き合いになる、と確信した。間に合ってよかった、二作目の単行本が出る前に読んでおいてよかった、と幸運も噛《か》みしめた。「デビュー作からずっとリアルタイムで追いかける」というのは作家と同時代に生きる読み手の特権なのだから、それをぜひとも行使したいではないか。

要するに、僕は愛読者の端くれになったのである。窪美澄さんという初めて出会った作家は、たちまちにして、とても大切な作家の一人になったのである。

単行本版を読み終えた少しあと、僕は本書についてのこんな評を発表した。

〈なにより惹《ひ》かれたのは、どうしようもなさをそれぞれに抱えた登場人物一人ひとりへの作者のまなざしだった。救いはしない。かばうわけでもない。彼らや彼女たちを、ただ、認める。官能が（哀しみとともに）濃厚ににおいたつ世界を描きながら、作者はきっぱりと、清潔に、登場人物の「性（せい／さが）」を受け容《い》れ、それを「生」へと昇華するための五編の物語を重ねていくのだ。

どう生きるか、生きてなにをするのか、なんのために生きるのかという賢《さか》しさではなく、ただ生きて、ただここに在る――「ただ」の愚かしさと愛《いと》おしさとを作者は等分に見つめ、まるごと肯定する。その覚悟に満ちたまなざしの深さと強さに、それこそ、ただただ圧倒されたのである〉（第二十四回山本周五郎賞選評）

文庫版の解説を書かせていただくにあたって再読した二〇一二年夏のいまも、やはり僕は、同じことを感じ、同じように圧倒されてしまった。

その理由をあらためて探ってみることで、本書の解説に代えたい。

「ミクマリ」の中盤に、こんな一節がある。

〈男も女も、やっかいなものを体に抱えて、死ぬまで生きなくちゃいけないと思うと、なんか頭がしびれるようにだるくなった〉

やっかいなもの——。

決して新奇な言葉ではない。むしろありふれた、ごくふつうの言葉なのだが、ひっかかりがあるというか、不思議な存在感があるといえばいいか、妙に気になる。

直接には、〈女の子の場合、生まれたときから卵巣《らんそう》の中にはすでに卵子のもとになる数百万個の原始卵胞が詰まっている〉ということを受けての〈やっかいなものを体に抱えて〉になるのだろう。ただ、ここでの文脈だけだと〈男も女も〉のうち男のほうが見えづらいかもしれない。

その回答というわけではないが、男にとっての〈やっかいなもの〉は、作品の最終盤にあった。

〈おふくろが、へその緒がついたままの赤んぼうをあお向けに寝た女の人の胸元にのせたとき、小さな体の割りにはでかく見えるちんこが見えた。おまえ、やっかいなものをくっつけて生まれてきたね〉

なるほど、確かに〈やっかいなもの〉である、アレは。

「やっかい」は「2035年のオーガズム」にも出てきた。

〈性欲というやっかいで小さなたまごは、あたしのなかですでに孵化《ふか》していて、それがたまごっちみたいに成長していくことを、あたしはそのときまだぜんぜんわかっていなかった〉

さらには、「セイタカアワダチソウの空」で、田岡さんが自らのアブノーマルな性の嗜好《しこう》を告白したあとに付け加えたこんな言葉も、バリエーションの一つになるだろう。

〈そんな趣味、おれが望んだわけじゃないのに、勝手にオプションつけるよな神さまって〉

性にまつわるもろもろを、窪美澄さんは〈やっかいなもの〉〈オプション〉という言い方で描く。それはすなわち、自分でも持て余してしまう「過剰」ということである。

ああ、わかるなあ、その感じ……とうなずく読み手はきっと多いだろう。と同時に、「やっかいなもの」という平凡な一語に、じつはさまざまなニュアンスがひそんでいることにも気づくはずだ。

無理もない。この言葉には、じつは元手がたっぷりかかっている。『女による女のためのR―18文学賞』の最終候補作の一編としてネットで全文公開された時点での「ミクマリ」のテキストは、単行本化されるにあたって細かい改稿がほどこされた。前述した、赤んぼうの性器をめぐるくだりもそうだった。ネットで公開されたテキストは、〈おまえ、やっかいなものをくっつけて生まれてきたね〉のあとに、こんなふうにつづく。

〈この世界はでも、そんなに最悪でもないんだ。多分。というかそう思いたいし〉

それを推敲《すいこう》で削ったことで、〈やっかいなもの〉に奥行きが出た。たとえ文章としては残っていなくても、作者が〈やっかいなもの〉をこの世界で生きることと拮抗《きっこう》させようとした思いは、確実に〈やっかいなもの〉に刻み込まれた。言葉に元手がかかっているというのは、そういう意味なのである。

語り手がバトンを受け渡して、らせんを描くように物語られていく五編の連作は、さまざまな〈やっかいなもの〉をめぐる物語の連なりだった。自分の中に、自分でも持て余してしまう〈やっかいなもの〉がある――それは、全編を貫いて流れる妊娠・出産というモティーフの変奏でもあるだろう。

僕は本書をそういう構図で読み、だからこそ、まいったなあ、と舌を巻いたのだ。窪美澄さんの作家としての強さに圧倒されてしまったのだ。

本書に登場するひとたちは、誰もがそれぞれに大きな「欠落」や「喪失」を抱えて生きている。とりわけ家庭については、どこもかしこも穴ぼこだらけと言ってもいい。そんな「欠落」「喪失」を軸に据えれば、傷ついた彼や彼女たちの悲しみに満ちた物語は容易につくれるだろう。だが、そこには読む前から既視感がまとわりついていないか？　ストーリーというより、むしろ読後感を先回りして、食傷した気分にならないか？

窪さんが描き出したものは違う。まるっきり逆だった。彼や彼女たちが失ってしまったものではなく、彼や彼女たちがどうにも持て余してしまう〈やっかいなもの〉＝「過剰」を活写した。

失われたものを無視したのではない。前提なのだ。出発点なのだ。

もはや同時代小説の主題として消費され尽くした感のある「欠落」「喪失」にとどまるのではなく、その先にあるものへと、窪さんは目を向けている。それこそが、

〈やっかいなものを体に抱えて、死ぬまで生きなくちゃいけない〉ということ――。

いや、こうやってまとめてしまうのは簡単でも、小説を書く立場に回ってみると、これはとんでもなく難しいことではないか。〈やっかいなもの〉を捨てろ、というのならいい。〈やっかいなもの〉を別のものに変えてしまうのなら、まだわかりやすい。だが、五編の主役たちは、その道を選んではいない。〈やっかいなもの〉をやっかいなまま（今後ますますやっかいになりそうな予感さえはらみつつ）自らの内に抱え込んで、〈死ぬまで生きなくちゃいけない〉のである。

折り合いはうまくつけられるのか。そもそも折り合いなどつけられるものなのか。わからない。主役たちは皆、若すぎる。最も年かさの卓巳くんのお母さんですら、揺れ動き、惑いつづけている。

そんな彼や彼女たちの物語を書き綴《つづ》る窪さんは、〈やっかいなもの〉の処方箋《しょほうせん》を安易には示さない。ただ、〈やっかいなものを体に抱えて、死ぬまで生きなくちゃいけない〉という一人ひとりの生を、黙って見つめる。人生を賛美はしない。胸を張っての肯定でもない。苦笑交じりだろうか。ため息交じりだろうか。登場人物たちに語りかける言葉は、それこそ改稿によって消えたフレーズそのままに、〈この世界はでも、そんなに最悪でもないいんだ。多分。というかそう思いたいし〉という歯切れの悪いものになるだろうか。

だが、そのへなちょこな肯定は、どこまでも優しく、じつはしなやかに強い。「花粉・受粉」に登場する、おそらく本書全編を通じて最も安定した位相にいるリウ先生は、卓巳くんのお母さんに言う。

〈悪い出来事もなかなか手放せないのならずっと抱えていればいいんですそうすれば、〉

そうすれば、どうなる――？

つづきのフレーズは本文で。

ここで明かすヤボは断固として慎むべきなのだが、ひとつだけ、捨てられないものは無理に捨てなくてもいいというリウ先生の（すなわち作者自身の）語りかけは、きっと読み手の僕たちの胸にも優しく染《し》みていくはずなのだ、と未読の方には予告しておくし、すでに読了された方には「でしょ？」と目配せしておこう。

なぜって、〈やっかいなもの〉のやっかいたる所以《ゆえん》は、うまく捨てられないところにこそあるのだから。きれいに捨てられるような〈やっかいなもの〉は、そもそも最初からやっかいではない。そして、僕たちの人生は、ほんとうにうんざりするほどたくさんの〈やっかいなもの〉であふれ返っているのだ。

それでも、僕たちはいつも、愛読する作家の作品から、人生や世界の肯定のしかたを学んでいる。

僕たちが生きるこの世界は、生きるに価しないほど最悪なものではない。たぶん。おそらく。きっと。だって、そう思いたいじゃないか……と、卓巳くんなら、たぶん言う。

だから捨てられないものは無理に捨てなくていい。抱えていればいい。そうすれば……と、さっきリウ先生が言った。

二〇一一年に本書を評した文章で言い忘れていたことが一つあった。

肯定は、「いま」の賛美とは違う。たとえ「いま」がどうしようもないものでも、「いつか、きっと」を信じることができるなら、人生や世界は、そしてどうしようもないはずの「いま」もまた、肯定される。

本書の五編の小説は、どれも「いま」のやるせなさにぴったりと寄り添っている。そんな「いま」の物語の先に、まるで倍音を響かせるように、窪さんは「いつか、きっと」の光を灯《とも》してくれた。

その光に導かれて五編を読み終えた僕は、本を閉じて、顔を上げた。まぶたの裏には光の余韻がぼうっと残っている。

〈やっかいなもの〉を捨てられずにいるふがいない僕たちは、でも、その光がまぶたの裏に残っているうちは、人生や世界について少しだけ優しくなれるような気がする。それを信じて、自分で言った言葉に少し照れて、光が消えてしまわないうちに、と急いでとりかかった解説の小文を、いま書き終えた。

（二〇一二年八月、作家）

この作品は二〇一〇年七月新潮社より刊行された。

ふがいない僕《ぼく》は空《そら》を見《み》た

新潮文庫　く－44－1

平成二十四年十月一日発行
平成二十五年七月二十五日八刷

著者　窪《くぼ》美《み》澄《すみ》

発行者　佐藤隆信

発行所　株式会社新潮社

郵便番号　一六二―八七一一
東京都新宿区矢来町七一
電話　編集部(〇三)三二六六―五四四〇
読者係(〇三)三二六六―五一一一
http://www.shinchosha.co.jp

価格はカバーに表示してあります。

乱丁・落丁本は、ご面倒ですが小社読者係宛ご送付ください。送料小社負担にてお取替えいたします。

印刷・錦明印刷株式会社　製本・錦明印刷株式会社

ISBN978-4-10-139141-0　C0193